Boulangerie Au Pain Doré

Propos recueillis par Patrick Leimgruber

50 ans
de recettes
qui se
racontent

Les 400 coups

Table des matières

★

*Dans les recettes, les produits
marqués d'une étoile rouge
sont disponibles dans les
boulangeries Au Pain Doré.*

Le bon Pain Doré !

Je connais la famille Etienne depuis de nombreuses années. C'est donc avec beaucoup de fierté que je partage mon admiration pour ces gens merveilleux qui ont élevé les valeurs de la boulangerie au Québec.

Elles ne sont pas nombreuses, les entreprises qui peuvent compter cinquante années au plus haut niveau de leur art. Je dis *art*, car, pour moi, le métier de boulanger est certainement l'un des plus nobles et précieux métiers d'artisan qui soient. D'artisan et même d'artiste !

Je n'ai pas eu la chance de connaître M. Roland Etienne, parti trop tôt, mais tous ceux qui m'ont parlé de lui tenaient le même discours : il avait un immense respect pour ses clients, pour les gens d'ici qui les avaient si bien accueillis, lui et son épouse Odette, femme d'exception que j'aime tant !

Cet amour du travail bien fait, le couple l'a transmis à Jean-Marc, leur fils, qui, très tôt, a pris les rênes de cette authentique maison, avec Diane, son épouse, son double, son tout.

Jean-Marc et Diane se sont entourés d'une équipe hors pair, mais aussi de leurs enfants Julie et Charles qui, très jeunes, ont à leur tour reçu la passion du travail, et Dieu sait qu'il en faut, de la passion, dans ce métier.

Au Pain Doré a aujourd'hui dépassé les frontières de la rue Marquette. Beaucoup l'ignorent, mais dans les restaurants ou les supermarchés de Montréal, Toronto, Boston, Tampa Bay, Miami et Las Vegas, le pain de la famille Etienne est omniprésent.

J'aime ces artistes de la boulange qui pétrissent, façonnent, transforment et cuisent des ingrédients simples pour en faire le meilleur compagnon de l'homme, dans son quotidien culinaire.

Pour moi qui suis gourmand devant l'Éternel, le pain est un produit béni. Je jubile lorsque je me trouve dans un atelier de boulanger. Ces odeurs de levain, ces pétrins qui travaillent sans fin la farine, l'eau et le sel de mer, ce crépitement des baguettes qui, au sortir du four, chantent la vie… Tout m'enchante et me réjouis dans une boulangerie ! Un repas sans bon pain, c'est comme un instant sans amour, alors imaginez une vie… Je souhaite sincèrement plusieurs autres cinquante ans de succès à la famille Etienne.

Je dois m'arrêter. Vous m'excuserez, il faut que j'aille casser la croûte… Salutations gourmandes !

Thierry Daraize

Une histoire de pain

Il est à l'origine de bien des bonheurs et bien des combats. « Mon pain, ce héros » tient tout un rôle dans l'histoire des civilisations qu'il traverse, toujours frais et altier. Quelle que soit sa forme, baguette, parisien ou petit pain, miche, boule, fougasse ou autre, il nourrit et fait grandir les générations qui trouvent en lui le réconfort et la force nécessaires à la vie.

S'il est fortement associé à la culture française, le pain n'en est pas moins un aliment du monde, et les meuniers et boulangers de l'Hexagone ne furent pas les seuls à être pris à partie quand son prix augmentait – car c'est à ces métiers qu'on faisait trop facilement porter l'odieux de la situation en rendant ses ouvriers responsables de tous les maux. Longtemps le pain a été l'indicateur par excellence de la santé de l'économie. N'épargnant personne, il a parfois même fait de royales victimes : Marie-Antoinette a payé de sa tête pour avoir répondu au peuple affamé, qui réclamait du pain, de manger de la brioche. À une toute autre époque, un président de la République française allait perdre ses élections en se montrant incapable de répondre à son rival qui lui demandait le prix de la baguette !

S'il apparaît souvent dans notre langage, c'est qu'il marque d'un sceau puissant son ancrage dans les traditions. La langue lui rend hommage. Depuis le « Donnez-nous aujourd'hui notre pain quotidien », force est de constater qu'on en a cassé des croûtes avec tout le pain qu'on avait sur la planche. Nous gagnons notre croûte, mettons la main à la pâte, enlevons à quelqu'un le pain de la bouche, et ne mangeons pas de ce pain. Nous l'avons acheté pour une bouchée de pain, ça se vend comme des petits pains, il ne mange pas de ce pain-là, et… c'est du pain bénit. Untel est bon comme du bon pain pendant qu'un autre perd le goût du pain. Et que dire de cette attente longue comme un jour sans pain !

On peut aller plus loin et s'enorgueillir de quelques autres savantes inventions: un copain, par exemple, eh bien, c'est un co-pain, quelqu'un avec qui on partage le pain. Dans l'expression «Je ne mange mie», qui de nos jours n'est plus en usage, mie marquait une négation au même titre que pas, point ou goutte. Ainsi, on ne buvait goutte (d'eau), on ne marchait pas (un pas), on ne voyait point (un petit point), et on ne mangeait mie (de pain). Seul le pas a perduré, avec des points par-ci, par-là, Paris imposant sa loi sur la langue.

Quand on se met à parler du pain, c'est toute une atmosphère qui s'éveille. Celle de la boulangerie, du boulanger, de la femme du boulanger si chère au grand artisan des mots Marcel Pagnol, celle des odeurs, des croissants, des dimanches matin… Le pain, c'est aussi la farine, l'eau, le levain, la vie – car le pain est vivant. Mais avant qu'il soit croqué, il faut le fabriquer. Et c'est un art, tout un art, avec ses secrets soigneusement gardés que chaque boulanger porte dans sa signature, aucune ne ressemblant à une autre, et chacune faisant la différence. Ce sont des générations et des générations de savoir-faire, des personnalités comme celle de Poilâne, bien sûr, mais aussi des familles dévouées comme les Etienne qui, de père en fils et de mère en fille, transmettent leur savoir et l'enrichissent.

Une histoire simple, une histoire de famille

Depuis trois générations, la famille Etienne fait la renommée des boulangeries Au Pain Doré. Une telle affirmation fera réagir ses membres qu'ils corrigeront immédiatement: ils forment une équipe! Ils insistent sur l'importance de chacun des collaborateurs, leur ingéniosité, leurs compétences respectives, en souhaitant que tous soient nommés. Qu'ils se rassurent: nous nous acquitterons de cette tâche avec plaisir en fin d'ouvrage.

Il demeure que la ténacité d'Odette Etienne, l'ingéniosité de son fils Jean-Marc et l'intelligence de sa bru Diane, la curiosité de sa petite-fille Julie et la fougue de son petit-fils Charles sont les gages de ce succès. Cela dit, la qualité attribuée à chacun pourrait l'être aux autres, car chez les Etienne toutes et tous sont à la fois spécialisés et polyvalents, et portés par la passion que l'odeur du pain nourrit encore et toujours en eux.

Arrière-grands-parents, grands-parents, parents, frères et sœurs ont construit Au Pain Doré. Ils y sont tous présents au quotidien. Alors, fêtons avec eux et mettons-nous à table.

La fabrication

Pendant 25 ans, Daniel Brun a signé tous les pains à la main.

À la Boulangerie Au Pain Doré, la fabrication du pain, c'est avant tout une rencontre: celle de l'artisan-boulanger et de sa pâte. Une relation passionnée s'installe ensuite, empreinte d'un savoir-faire hérité de la longue tradition des maîtres-boulangers français.

Peu de choses ont changé dans la fabrication du pain depuis le début du siècle dernier. La recette centenaire, qui a été conservée comme un secret, comprend des méthodes de fabrication traditionnelles qui favorisent l'utilisation de farines naturelles. L'art de la boulangerie, c'est aussi l'art de savoir prendre du temps sans le perdre. Un lent pétrissage, une longue fermentation et une cuisson dans un four à sole de pierre construit avec soin à l'aide de matériaux de qualité sont des étapes qui ne peuvent être bousculées quand on vise la perfection. C'est pourtant la clé d'un pain français au goût exceptionnel. Dans le plus grand respect de la tradition, l'artisan-boulanger se lève avant le jour, met la main à la pâte et répète les mêmes gestes délicats. Son toucher, son pétrissage habile, une pâte parfaite et une lente cuisson feront la différence et justifieront les sept heures nécessaires avant qu'on «casse la croûte»!

Toutes ces attentions, le pain nous les rend bien par des dimensions parfaites et une croûte dorée à point, belle, croustillante. Le caractère unique de la mie, légère et largement alvéolée, résulte des longues heures passées en fermentation. Son apparence et son parfum sont une invitation à la gourmandise. Le pain dégage des arômes où s'entremêlent les odeurs de farine et de froment, celles du vrai pain traditionnel français. Sa saveur, délicate en bouche et empreinte de finesse, porte en elle les plus beaux souvenirs de la France.

Ce pain, c'est notre réputation depuis 50 ans et nous en sommes fiers!

Les étapes de fabrication

La fabrication d'un pain de qualité exceptionnelle nécessite plusieurs étapes distinctes et incontournables.

Le mélange

La première étape consiste à mélanger les ingrédients les plus fins pour donner au produit le caractère recherché. Lentement, le mélange devient pâte.

Le pétrissage

D'une main experte, l'artisan-boulanger pétrit ensuite cette pâte jusqu'à ce qu'elle acquière la souplesse et l'homogénéité désirées.

La première fermentation

Une fois le pétrissage terminé, on passe à l'étape de la fermentation. Celle-ci est primordiale car c'est elle qui permet à la pâte de prendre toute son expansion. On la dépose dans un endroit à température et humidité contrôlées et on la laisse reposer le temps qu'elle s'imprègne des arômes du froment.

La deuxième fermentation

La pesée

L'artisan-boulanger pèse ensuite la pâte de chacune des boules qu'il divise en morceaux de différentes dimensions appelés pâtons et qui deviendront pains, baguettes, miches et autres délices.

La troisième fermentation

Notre méthode de fabrication artisanale requiert ensuite une troisième fermentation. On laisse reposer la pâte à nouveau après la manipulation du pesage. Son goût s'en trouve amélioré.

Le façonnage

Il faut à présent donner une forme à chaque pâton selon sa destinée, un geste savant qu'on nomme la tourne. Les pains façonnés sont ensuite déposés dans de petits paniers garnis de toile, les panetons, qui épousent les formes allongées ou rondes des baguettes et des miches. Lorsqu'elle s'étire, la pâte prend une consistance légère qui contribuera à la formation des alvéoles et donnera à la mie son moelleux.

La scarification

La scarification, c'est l'habileté de l'artisan-boulanger à tailler la surface lisse de la pâte à pain pour y apposer sa signature avant de l'enfourner.

La cuisson

La pâte est enfin glissée dans un four à sole de pierre où elle cuit doucement et se transforme en pain.

Les produits

La Doré belle et blonde
C'est la préférée de votre boulanger. La plus polyvalente de nos baguettes, cette traditionnelle française a fait notre réputation.

La 36 heures
Elle est baptisée ainsi en raison de sa longue fermentation occasionnant une double croûte. On la reconnaît à ses coquines bulles formées en surface. Pour les amants du croquant.

L'Alvéolée blanche ou brune
Dans sa mie frivole se dessinent des alvéoles. Son petit format est idéal pour les repas légers.

La Bio
La farine utilisée est moulue sur meule de pierre, ce qui lui confère fins arômes, délectables saveurs et texture plus dense.

Les miches

Voici une famille de pains qui, par la générosité
de leur mie, assurent une meilleure conservation. Tranchées ou entières, les miches Au Pain
Doré offrent une variété de saveurs. La Quignon
aguiche les friands de sandwichs et de toasts.
Le Campagne, les pains au son, à l'Ancienne
ou aux olives, ou encore L'Intégral, enrichissent
des cuisines diverses.

Les pain spéciaux

L'authenticité des formes de ces pains souligne
leur provenance des quatre coins du monde.
Qu'il s'agisse de Fougasse aux saveurs méditer-
ranéennes, de Ciabatta ou de pain aux noix de
Grenoble, leurs origines multiplient la fantaisie
de leurs expressions. Confectionnés aux multigrains ou au seigle, ils sont tous d'excellents
acteurs de la table.

Les pains biologiques

Leurs arômes bavards nous rappellent l'odeur de leurs grains. Notre gamme de délicieux pains biologiques est certifiée par Écocert. Nous choisissons chaque ingrédient avec soin pour produire des pains dits naturels. Le pain Kamut, aux discrets parfums de noisette, par exemple, contient environ 40 % de plus de protéines que les autres pains. Le Bio-lin est gorgé d'acides gras Oméga 3. Le Sarrasin, appelé aussi «blé noir», se distingue par sa tendre mie aux nombreux yeux noirs et par son vertueux apport diététique. Au Pain Doré, nous offrons à notre clientèle une exquise façon de s'occuper de sa santé.

Les pains sucrés

Pour le petit-déjeuner ou pour le brunch, étonnez vos papilles avec un pain saturé de raisins et de noix ou de chocolat, ou encore avec un pain brioché accompagné de foie gras. La prouesse de ces pains, c'est qu'ils savent ensoleiller nos vies par leurs odeurs et leurs saveurs. Nos pains sont faits avec une farine non blanchie et non traitée et bénéficient de six heures de fermentation. Aucun de nos produits ne contient un agent de conservation. Sur notre site Web, vous trouverez les précieux conseils de notre boulanger artisan, lesquels vous aideront à garder votre pain frais plus longtemps.

Les viennoiseries

Succombez à la tentation. Appelez-les par leur nom, vous en aurez déjà l'eau à la bouche : croissant, chocolatine, roulé aux raisins ou à la cannelle, chausson aux pommes, délice aux amandes, abricotine, denishü... Que ce soit pour une réunion d'affaires, pour le brunch, la collation ou encore pour l'heure du thé, nos viennoiseries sont préparées pour les inconditionnels du bonheur à toute heure.

Les pâtisseries

Fraises et rhubarbe, amandes et bleuets, pommes à l'ancienne, nos tartes et tartelettes ont le chic pour se faire aimer. Jardinière au fruits, tarte aux pommes caramélisées, au sucre, au citron, aux pacanes, laissez-vous séduire par la variété qui vous est offerte. Pour vous accommoder en tout temps dans vos élans de passion, faites mettre de côté vos petits plaisirs, gâteaux et chocolats réalisés par notre maître Artisan. La gourmandise appelle à la fête.

Roland

C'est lui le créateur, et c'est grâce à lui que la bou-langerie Au Pain Doré existe aujourd'hui. S'il n'est plus là pour se présenter et raconter sa vie, il est si présent dans la mémoire des Etienne que tout continue de se faire dans son sillon. Chacun des membres de la famille le présentera donc à sa manière, et ce sont ces souvenirs réunis qui tra-ceront son portrait.

Femme de tête s'il en est, Odette, son épouse, décidera avec sa complicité de leur départ pour le Canada. Et c'est ensemble qu'ils construiront l'entreprise. Pour elle, son mari était un homme droit qui avait des convictions et qui faisait sien l'adage «La parole vaut l'homme ou l'homme ne vaut rien». Un homme admirable et admiré, d'une volonté exceptionnelle, dormant peu, la tête pleine de rêves dont celui, notamment, de s'acheter une cabane au Canada. Ce rêve, il le réalisera avec ses premières économies.

Odette et Roland dans la baie d'Arcachon en 1945.

Attiré par les grands espaces, il chasse et pêche, profitant de la vie et des moments libres qu'il peut s'accorder. Il en a peu, mais ceux qu'il a sont intenses. Il faut voir comment Roland organisait

Début juin 1951, LA journée du grand départ pour le Canada!

en quelques heures une partie de pêche que d'autres auraient mis une semaine à préparer. Animé par deux priorités, le travail et la famille, il n'était pas très intéressé par l'ouverture de magasins qui allaient altérer son bonheur familial. L'intensité des moments de plaisir était son moteur; et malgré les longues heures passées à la boulangerie, il trouvait le temps d'organiser le bal des pâtissiers, de construire une chaloupe ou d'effectuer quelques travaux de plomberie, de soudure, de menuiserie ou autres, doté qu'il était d'un talent manuel exceptionnel. Dans la vie de Roland Etienne, une idée était toujours mise à exécution.

La générosité est un autre trait de caractère de la famille Etienne, et malgré les soucis et le travail, les autres ont toujours leur place. On se souvient des soirées au chalet avec les amis, les enfants et leurs copains… comme le jeune Jean-Michel, fils des Cabanes qui ont créé la toujours réputée Pâtisserie de Gascogne.

Odette aura trouvé en lui la perle rare, l'époux idéal qui le restera jusqu'à la fin. Jean-Marc aura suivi la trace de son père avec respect, admiration et innovation. Diane aura prouvé en ouvrant d'abord seule puis avec sa fille Julie d'autres magasins, que le rayonnement d'Au Pain Doré était inscrit dans sa destinée. Quant à Charles, encore bien jeune lors son décès, sa présence lui manque encore…

Nous pourrions en écrire beaucoup sur Roland, mais laissons-nous plutôt le découvrir petit à petit à travers les portraits des membres de sa famille, eux qui l'aiment toujours autant. Cette manière lui ressemblera bien davantage.

Odette et Roland en 1973.

Belle
à croquer

Odette

Odette, c'est l'incontournable! Une femme de tête dont l'accent d'origine chante encore dans la maison de la rue Marquette qui existe toujours, juste au-dessus de la boulangerie. Odette veille au grain!

Elle en a vu beaucoup, madame Etienne, des beaux moments comme des difficiles, et elle se souvient de chacun avec sérénité. Elle poursuit sa vie sans se retourner, comme hier, comme demain. L'expérience y est pour quelque chose, sans nul doute… Elle est arrivée à Montréal il y a plus de 50 ans, avec son mari Roland et ses deux enfants − Jean-Marc, qui avait 11 mois, et Joëlle, 4 ans. La troisième, Danielle, naîtra au Québec. La famille allait démarrer une nouvelle vie en quittant pour de bon son village d'Itxassou, au Pays Basque, sans savoir qu'elle allait créer, en 1956, l'une des boulangeries de pain français les plus florissantes, en fait, la troisième boulangerie française à Montréal.

Fille de boulanger portant un nom prédestiné − son père s'appelait Albert Dufourg! −, Odette ne souhaitait pas à l'époque devenir boulangère.

C'est la coiffure qui l'attirait et la passionnait. Elle monte à Paris, comme bien des provinciaux, pour y étudier. Le chemin semblait tracé, et les espoirs sans frontières. Mais l'histoire en décide autrement: en 1939, la guerre éclate, obligeant la jeune fille à oublier ses fantaisies parisiennes pour retourner dans les Pyrénées auprès des siens qui subissaient eux aussi la dure réalité de l'occupation allemande leur imposant la présence continue de l'ennemi nazi et la réquisition des maisons avec, en toile de fond, les drames et les horreurs que nous connaissons aujourd'hui.

Odette Dufourg est une jeune fille entreprenante et, malgré les obstacles, elle décide d'ouvrir un salon de coiffure. Elle n'a pas choisi la voie de la facilité. Elle doit par exemple se faire émanciper car elle n'a pas atteint l'âge de la majorité qui était de 21 ans à l'époque et était requis de ceux qui voulaient ouvrir un commerce. Elle trouve l'appui nécessaire auprès des autorités compétentes pour justifier son choix, contourne quelques obligations,

La famille Dufourg : Albert et sa femme Julie ainsi que leurs enfants Odette et Jean-Louis en 1930.

Odette (à gauche) avec ses camarades dans leur costume basque ramassent des fonds pour les prisonniers de guerre.

dont celle qui veut qu'un commerce ne se transmette que de génération en génération, et se lance ! Son village est mitoyen avec Cambo, une ville de cures où les touristes affluent. Odette a visé juste. Elle se débrouille seule pour vivre sa vie et la gagner, contre vents et marées, faisant sien cet adage : «Porte attention à ce que tu veux parce que tu vas l'avoir».

Ses yeux pétillants, son ardeur et sa volonté ne laissent pas indifférent le jeune Roland Etienne, un résistant de retour de la guerre qui, au contraire d'Odette, mettra la main à la pâte et apprendra le métier de boulanger avec son beau-père. Sans doute trop simple pour Odette, cette vie rangée... Au détour d'une mise en plis, elle fera basculer sa vie ainsi que celle de son mari et de ses enfants vers d'autres horizons. Tout cela grâce à une cliente dont une courte phrase allait bouleverser leur existence.

— Pourquoi n'iriez-vous pas en Amérique, au Canada ? Ils cherchent du monde là-bas. Les gens de métier comme les boulangers, les pâtissiers, les charcutiers et les bouchers y sont prisés...

L'idée était lancée ! Elle germe dans la tête d'Odette. La jeune femme avait toujours été attirée par l'Amérique. Sa tante, qui avait épousé un homme ayant fait fortune à Cuba dans les années 1914-1918, lui envoyait parfois des robes brodées de ces pays lointains qui la faisaient rêver, elle si ouverte au changement. Ouverte et battante, un rien rebelle, elle se demandait aussi pourquoi c'était toujours les hommes qui voyageaient et partaient à l'étranger pour faire carrière. «Je le veux, moi aussi !»

Et elle l'a eu ! Elle qui, petite, voulait être un garçon a mis son pantalon, pris ses décisions et mis le cap, un beau lundi, sur Bayonne : elle allait acheter quelques couleurs pour ses teintures, mais surtout franchir le seuil de la maison Delvaille, une agence de voyages qui était à la recherche de volontaires pour le Canada. Ça y était, dans son esprit Odette était déjà partie! Calmement, elle annonce la nouvelle à son mari comme si de rien n'était, pour voir. Organisateur-né et tout aussi entreprenant qu'elle, il accepte.

Ajoutons qu'Odette vivait dans la maison familiale et savait que tôt ou tard des choix devraient se faire quant à la succession de la boulangerie. Son frère y habitait aussi, et elle ne voulait en rien imposer des situations déchirantes à ses parents.

Une traversée de deux semaines sans trop d'histoire, et voilà Odette et Roland avec leurs deux enfants en terre canadienne, motivés par leur désir de liberté que cette branche de la famille Etienne allait porter au fond de l'âme. Mais une fois dans cette réalité canadienne, ils ont tôt fait de se rendre compte que celle-ci ne correspond pas à la promotion qu'on en faisait. Tant pis, ils y sont, ils y restent.

La traversée sur le Georgic, en 1951, a duré deux semaines.

La réalité, parlons-en…

La réalité, c'est une maison de chambres, un mari qui se trouve un emploi dans une boulangerie «franco-canadienne» à 39,50 $ par semaine, des enfants en bas âge et des soucis de santé qu'il faudra affronter, sans compter le dépaysement et les restrictions à surmonter. Roland apprend que c'est dans la soudure que les salaires sont les meilleurs. Il emprunte l'argent nécessaire d'une connaissance pour apprendre le métier, les banques ne prêtant aux nouveaux arrivants qu'au terme d'une année de résidence au Canada. Comme ils se sont endettés, Odette propose de travailler, mais son mari, trop fier pour accepter une telle situation, le lui interdit, préférant redoubler d'effort. Il cumulera deux métiers, un de soudeur, la semaine, et un autre de boulanger, la fin de semaine. Il excellera dans les deux et sera même certifié premier soudeur par le gouvernement.

Et puis, peu à peu, la vie, les rencontres, les remises en question, la persévérance et l'audace amèneront le jeune couple vers la rue Marquette.

La rue Marquette

Sur la rue Marquette, la boulangerie Au Pain Doré était une destination. On allait y chercher son pain comme on allait au cinéma. Un jour de 1956, Roland Etienne apprend qu'elle est à louer. Elle appartenait alors aux frères Balit; ceux-ci l'avait reprise des Segator qui la géraient alors sous un autre nom. Le loyer est certes élevé et les conditions exigeantes — il faut avancer trois mois de loyer et de frais d'électricité —, mais l'affaire est intéressante car en plus de sa clientèle, la boulangerie est dotée de deux fours Mignolet. Pour se porter acquéreur, le couple Etienne trouve un associé; la solidarité de quelques compatriotes basques exilés fera le reste : une précieuse avance de fonds.

Le début d'une nouvelle aventure

Jusqu'à l'ouverture du premier magasin, en 1983, la boulangerie ne vendait qu'en gros. Fin diplomate, monsieur Etienne, réussit à monter une clientèle de restaurateurs : il allait séduire les chefs, généralement français, en leur offrant des pains et des baguettes pour leur faire connaître le goût exceptionnel de son produit. Odette attendait les commandes derrière son téléphone. Non seulement elles ne tardèrent pas à rentrer mais à se multiplier, la transformant en femme d'affaires avertie qui gérait le bureau de la boulangerie Au Pain Doré.

Leur esprit créateur allait faire le reste, cet esprit dont héritera Jean-Marc et ses enfants, et dont Diane est douée, elle qui sait sans fin lui donner de nouveaux élans. C'est alors la multiplication des pains...

Fidèles à eux-mêmes, les Etienne créent. Des Fontainebleau, des petits pains Queen's et bien d'autres, autant de douceurs spécialement conçues pour leurs clients que ceux-ci découvrent portant le nom de leur restaurant ou de leur hôtel. Un stratagème digne d'un spécialiste de ce qu'on appellera plus tard le marketing. Mais ce n'est pas tout : tous les pains sont produits à la main, et le travail de l'artisan n'est jamais remis en question. Le savoir-faire est d'or et il se distingue de la compétition de l'époque. La boulangerie Au Pain Doré est une ruche que monsieur et madame Etienne dirigent en artisans respectés et respectables ainsi qu'en gérants avisés.

Les années passent et le succès croît. Itxassou est loin derrière, mais son souvenir demeure présent. Jean-Marc, qui a grandi à Montréal, descend à la boulangerie les fins de semaine pour exécuter des tâches qu'un enfant de son âge peut accomplir, comme compter les petits pains, dans la bonne humeur et l'odeur magique de la boulangerie de ses parents. Et pourtant...

Premier hiver au Canada en 1952.

22

Les petits-déjeuners

Croissants aux agrumes, mascarpone et caramel à l'érable

4 portions

- 4 croissants au beurre★
- 500 g de mascarpone
- 4 jaunes d'œufs
- 100 g de sucre
- 2 citrons
- 3 pamplemousses
- 5 oranges sanguines
- sirop d'érable à l'orange★

Mettre les jaunes d'œufs dans un bol, y ajouter le sucre. Mélanger au fouet électrique pendant 3 minutes jusqu'à ce que le mélange blanchisse. Incorporer le mascarpone doucement ainsi que le jus de citron. Réserver au réfrigérateur le temps de terminer la recette. Peler à vif la moitié des agrumes afin d'obtenir de beaux quartiers. Récupérer le jus et le mélanger au sirop d'érable à l'orange. Faire chauffer doucement dans une casserole avec les agrumes restants pendant 30 secondes. Retirer les agrumes en les égouttant. Faire réduire le sirop pour obtenir la consistance d'un caramel.

Couper les croissants en deux dans le sens de la longueur. Étaler une couche du mélange mascarpone, ajouter les quartiers d'agrumes, puis une autre couche de mascarpone. Refermer avec l'autre moitié du croissant.

Dresser sur une assiette avec les bleuets et le caramel à l'érable.

Le North Hatley de Julie

4 portions

- 8 tranches de miche quignon★
- 8 tranches de Chaliberg Suisse★
- 4 œufs
- 8 tranches de tomate
- 8 feuilles de laitue Boston
  (ou basilic ou bébé-épinards)
- 2 cuillers à soupe de confiture de carotte
  (facultatif)★
- 160 g de beurre
- 50 g de dijonnaise (mélange de mayonnaise
  et de moutarde de Dijon)
- 15 g de sel
- 4 g de poivre

Beurrer les tranches de pain sur un côté seulement. Faire fondre 20 g de beurre dans une poêle. Lorsque le beurre mousse, y cuire un œuf tourné (le jaune de l'œuf doit être coulant). Réserver.

Déposer les tranches de pain beurré dans la poêle et cuire à feu doux. Ajouter 2 tranches de fromage sur 4 tranches de pain, puis l'œuf chaud sur le fromage afin de le faire fondre légèrement. Tartiner les autres tranches de pain de dijonnaise. Ajouter les tomates salées et poivrées, les feuilles de salade, la confiture de carotte. Laisser le pain griller jusqu'à ce qu'il soit doré. Assembler le sandwich et couper en deux.

Pain perdu au cidre et au miel d'acacia

Une variante qui plaira aux grands comme aux enfants

- 4 tranches de pain rassis★
- 1 bouteille de cidre (750 ml)
- 2 gousses de vanille
- 50 cl de lait
- 6 c. à café de miel d'acacia
- 2 pommes Granny Smith
- 160 g de beurre
- 4 œufs

Fendre la gousse de vanille en deux dans le sens de la longueur. Puis, à l'aide d'un couteau, gratter l'intérieur de la gousse pour en retirer les graines. Faire bouillir le lait avec deux cuillérées de miel, la gousse et les graines de vanille. Verser le lait bouilli dans un plat creux et le laisser refroidir.

Verser le cidre dans une casserole, porter à ébullition, ajouter 4 cuillérées de miel, mélanger et laisser réduire de 90 %. Peler les pommes et les couper en dés de 1 cm. Faire fondre 40 g de beurre dans une poêle, ajouter les dés de pommes et les laisser se colorer à feu doux. Avec un fouet, incorporer 80 g de beurre coupé en petits morceaux au mélange cidre et miel. Ajouter les dés de pommes et la cannelle dans ce sirop et le laisser tiédir.

Battre les œufs dans un plat creux. Tremper légèrement sur toutes leurs faces les tranches de pain dans le lait vanillé refroidi. Puis les passer dans les œufs battus. Faire fondre 40 g de beurre dans une poêle. Lorsque le beurre mousse, y disposer les tranches de pain et faire cuire à feu doux. Compter de 2 à 3 minutes de cuisson par côté. Dresser sur des assiettes individuelles. Saupoudrer les tranches de pain de sucre à glacer et verser autour un cordon de sirop aux pommes, miel et cidre.

Pan fritto con cuore di ricotta di Sabrina

4 portions

- 8 tranches de pain de campagne★
- 4 œufs
- 50 cl de lait
- 8 onces de ricotta
- cannelle
- 2 gousses de vanille
- extrait d'amande
- sucre glace
- 160 g de beurre
- sirop d'érable aromatisé au rhum de Chez l'Épicier★

Battre les œufs dans un plats creux et y ajouter le lait. Fendre la gousse de vanille en deux dans le sens de la longueur. Puis, a l'aide d'un couteau, gratter l'intérieur de la gousse afin d'en récupérer les graines.

Ajouter les graines de vanille et l'extrait d'amande à la préparation d'œufs battus. Réserver. Mélanger le fromage ricotta, la cannelle et le sucre. Réserver. Imbiber légèrement, sur toutes les faces, les tranches de pain de campagne de la préparation d'œufs battus. Faire fondre 40 g de beurre dans une poêle. Lorque le beurre mousse, y disposer les tranches de pain et faire cuire à feu doux. Comptez 2 à 3 minutes de cuisson de chaque côté. Laisser le pain griller jusqu'à ce qu'il soit doré. Assembler le sandwich en tartinant de la préparation ricotta entre les tranches de pain et couper en deux. Dresser sur des assiettes individuelles. Parsemer les tranches de sucre glace et entourer d'un cordon de sirop d'érable aromatisé au rhum de Chez l'Épicier. Décorer avec des fraises.

Panini aux bananes et chocolat-framboises de Chez l'Épicier

Laurent Godbout

4 portions

- 4 pains à panini (ou tranches de pain de mie de 1 cm d'épaisseur)★
- 3 bananes
- 100 ml de confiture chocolat-framboises★

Chauffer le gril à panini. Éplucher les bananes et les couper en deux, puis en trois dans le sens de la longueur. Étendre de la confiture sur un côté des pains, puis y déposer les morceaux de bananes. Fermer les pains et faire griller.

Restaurant Chez l'Épicier
311, rue Saint-Paul Est, Montréal
Téléphone : (514) 878-2232

Le
heu
Mais je suis
je suis

Demi l'aube dès l'aurore, je salue avec bonheur et son ensoleillé du pain sur la palanche. d'aller gagner ma croûte... boulanger.

Premier camion de livraison, en 1956. Joëlle, 9 ans, Danièle, 3 ans et Jean-Marc, 6 ans.

Jean-Marc

Ce n'est pas boulanger que Jean-Marc rêvait de devenir, mais mécanicien automobile. C'était sa passion, son rêve de toujours qu'il a fini par abandonner, mais qu'il chérit encore aujourd'hui, même si le métier de boulanger lui a certainement procuré bien des surprises et bien des satisfactions.

La boulangerie, il est né dedans. Il a vu, appris et copié les gestes centenaires tout en leur donnant comme tout bon boulanger une singularité – car il se distingue très vite comme un excellent boulanger. Cependant, la perspective de répéter sans arrêt les mêmes petits gestes ne l'intéressait pas outre mesure.

Il entre dans la boulangerie comme dans un moulin, sans frapper, un peu forcé même par le destin avec l'accident cardiaque de son père. Il achète ensuite l'entreprise quand ses parents décident de la lui vendre. Une consolation : Jean-Marc, magicien de la mécanique, exerce son talent sur la machinerie de la boulangerie, là seulement où l'intervention sur le pain n'est pas humaine. Mais il n'a pas su refuser l'offre parentale, souligne-t-il, ce qui n'est pas pour déplaire à des générations de clients.

Du gros et du détail
Avec ses qualités d'entrepreneur, Jean-Marc donne rapidement, dès 1981, de l'expansion à la compagnie jusque-là consacrée exclusivement au commerce de gros. Il s'engage alors dans une rationalisation de l'espace en mettant tous les pieds carrés disponibles du bâtiment de la rue Marquette au service de l'organisation du travail, de l'embauche et de la demande grandissante pour les produits du Pain Doré.

Germe ensuite l'idée d'ouvrir une boutique pour répondre aux besoins des gens du quartier et pour élargir le bouche à oreille quant aux mérites et à la qualité du pain. On allait ainsi toucher le marché des particuliers pour qui les produits sont la meilleure publicité. Les idées, ce n'est pas ce qui manque à Jean-Marc. Et quand il les partage avec Diane et qu'il obtient le soutien de ses parents, alors l'équipe devient dangereusement bonne!

Chez les Etienne, on met à profit ses compétences et celles des complices! Jean-Marc a toute la latitude nécessaire pour réorganiser l'entreprise familiale. Mais dans le respect de la tradition, sans toucher d'aucune manière à la recette miracle ni bousculer le temps qu'il faut pour la réaliser, intervenant là où le pain ne s'en rendra pas compte, là où peu importe que l'intervention soit humaine ou mécanique, la différence n'altérera en rien la qualité tout en faisant gagner aux boulangers un temps précieux.

C'est ainsi que Jean-Marc organise une chambre de repos avec des balancelles pour le pain. Auparavant, les pâtes étaient déposées dans des boîtes en bois et devaient être manipulées fréquemment pour qu'elles ne collent pas. Avec la nouvelle installation, non seulement la pâte pourra se reposer sans risque pendant une heure, mais le boulanger sera libéré des manutentions habituellement requises.

Le cuit-congelé, dont personne jusque-là ne voulait entendre parler, est devenu une mode. Diane, qui ne veut pas manquer de pain, demande à Jean-Marc de congeler des baguettes. On pourra ainsi les passer au four et les livrer, à l'entière satisfaction de la clientèle. Ce sont là des innovations dont il ne fallait pas avoir peur, mais elles ne se sont pas faites sans efforts!

Il faut entendre Jean-Marc parler du pain et surtout de celui qu'il préfère: la baguette. Il s'est donné une mission et il l'a accomplie. Mais son plaisir le plus grand est de voir les gens manger du pain français, peu importe le boulanger qui le fabrique. Il s'est activement engagé à faire connaître le pain français au Québec et en est fier. Il se réjouit d'une croûte cassée, d'un quignon, d'une tartine beurrée. C'est le pain, le vrai, qu'il apprécie, celui de l'artisan patient et méticuleux qui le rassure et lui assure la pérennité de ses efforts.

La famille Etienne : Roland, Odette, Joëlle,
Jean-Marc, Danièle, en 1954.

Il n'est toutefois pas question de s'endormir sur ses lauriers. Jean-Marc réfléchit tout le temps et avec philosophie, conscient d'être parfois en avance sur son époque. Il sait attendre le bon moment pour proposer et exploiter une idée qui a germé il y longtemps – il n'est pas boulanger pour rien.

Au risque de déplaire parfois aux puristes, qui finissent par abonder dans son sens, Jean-Marc comprend très vite que pour survivre il faut mener une fine réflexion sur la modernisation de la production et sur les moyens de concilier artisanat et industrialisation.

La rue Rouen

Pas question d'abandonner la rue Marquette. Mais agrandir, par contre, et continuer à développer l'entreprise tout en limitant les déplacements (car les rues Marquette et Hochelaga sont alors les deux lieux de production), pas de doute ! Ainsi naît la boulangerie de la rue Rouen qui répondra aux critères de base d'une bonne boulangerie avec sa température ambiante contrôlée à 24 degrés (la température idéale pour une fermentation régulière), son humidité à 60 %, son étuvage parfait et son espace réservé aux fours à tunnel qui permettront une précision de cuisson et dont un artisan ne peut se passer. Avec la rue Rouen, les boulangers n'auront plus à subir l'impact de la température et des saisons sur la levée du pain, celle-ci leur assurant un rendement contrôlé.

La boulangerie de la rue Rouen existe maintenant depuis 1997. Pour illustrer la formidable évolution de l'entreprise et les coups de barre qu'elle sait donner, il suffit de se rappeler qu'au moment de son acquisition, on façonnait encore le pain à la main. Ce sont les réflexions, les expérimentations et autres tentatives de Jean-Marc qui auront permis d'améliorer les conditions du travail et de la production ainsi que la qualité des produits, dans le pur respect de la recette. Qualité et innovation sont des maîtres mots. Mais la famille Etienne ne parle pas de la boulangerie sans parler de son équipe avec laquelle elle s'implique, des artisans avec lesquels elle travaille comme Bruno, Daniel, Éric, Jean-Nicholas, Pierre-André, Robert, Steve, Sylvain, Wilfrid, Xavier et leurs équipes, de leurs interventions et innovations respectives.

La boulangerie de la rue Marquette, dans les années 1970.

Jean-Marc est soucieux du bien-être de chacun et suit les cycles de la vie sans la brusquer. S'il déborde d'idées, il sait qu'il faut aussi écouter et saisir. Avoir une idée est une chose, la concrétiser au bon moment en est une autre et fait toute la différence. Une des premières est un mariage, un mariage aussi romantique que celui qui unit deux personnes qui s'aiment. Mais ici, il se déroule entre deux professions : celles des artisans boulangers et des ingénieurs informatiques.

Le mariage

Ce fameux mariage n'était pas gagné d'avance et a demandé du temps avant que les parties s'apprivoisent, se respectent et s'intéressent à leur culture et leurs connaissances mutuelles. Aujourd'hui, un groupe Au Pain Doré travaille à réfléchir. Il réunit le boulanger, homme de bon sens qui sait jouer avec les réactions chimiques de la fermentation et de la température, et l'ingénieur qui informatise ces bonnes idées afin de les dupli-

40

quer sans nuire à l'intervention du boulanger. Ce groupe-là est une composante gagnante de l'entreprise, un des secrets de Jean-Marc Etienne. Il est surtout la preuve qu'un homme qui sait vivre avec son temps, qui initie les changements plutôt que les subir, qui respecte et encourage l'apport de chacun et accueille l'initiative, a su devenir ce que bon nombre auraient aimé demeurer : un artisan des temps modernes qui communique sa passion en toute conscience des choses.

Nous l'avons dit, Jean-Marc a toujours eu de la difficulté à imaginer qu'il répéterait sans cesse les mêmes gestes, et son souci de modernisation ne va pas sans quelques heurts puisqu'il perdra en cours de route quelques bons boulangers moins ouverts aux changements. À l'écoute de son temps, il devinait que les générations à venir ne se soumettraient pas à l'exigence du métier tel qu'il avait été pratiqué. Il fallait choisir, évoluer, ou disparaître. Il a choisi. Il s'est adapté dans le respect des traditions, armé de toutes ces années de pratiques et de perfectionnements acquis lors de stages en Europe.

La clé du succès : une bonne main-d'œuvre

Capitale – c'est le mot utilisé –, est la qualité de la main-d'œuvre, mais il n'est pas aisé de trouver de bons boulangers. C'est un métier difficile qui rebute les moins passionnés. Le développement vers le semi-industriel ne vise, dans l'esprit de Jean-Marc, qu'un seul but : maintenir la même qualité malgré la quantité, ce que l'artisan sans aide ne peut pas atteindre. Il sait, et le public est là pour le lui confirmer, que grâce à ce tournant industriel finement maîtrisé, il peut produire des baguettes exceptionnelles dont son équipe et lui sont fiers. Si la modernisation peut changer la qualité de vie du boulanger, pourquoi s'en priver si la fierté du produit demeure et si la réponse de la clientèle est positive ? Jean-Marc fait sienne cette sage vision : le pain est payant s'il y a multiplication !

La main-d'œuvre est capitale, disions-nous, mais elle est difficile à trouver quand on vise rien de moins que la qualité totale selon les exigences que pose Jean-Marc pour obtenir du pain vivant, alvéolé et tout simplement bon ! Celui-ci a même pensé à former cette main-d'œuvre en participant à la création d'une école de boulangerie au Québec. Cette école aurait vu la modernisation comme un processus continu ; et l'approche aurait été marquée par l'adaptation aux générations futures, afin qu'une entreprise comme la sienne demeure bien vivante. Le projet n'a pas eu le succès escompté, et Jean-Marc regrette que des efforts communs n'aient pas été faits dans ce sens.

La boulangerie Au Pain Doré, un laboratoire de recherche

Au Pain Doré, c'est toujours l'effervescence. Si un employé s'absente pendant quelques semaines, il peut être sûr qu'à son retour il sera surpris de l'évolution des choses. On aura essayé, et parfois adopté, des nouveaux pains, des nouvelles techniques, des nouvelles idées tout en maintenant la production d'un pain d'excellence grâce à la qualification des collaborateurs. C'est motivant !

Jean-Marc ne se permet pas de s'asseoir et de contempler les acquis. Il pense à demain, toujours, passionnément, tout en sachant qu'au-delà de la

Inauguration du siège social sur la rue de Rouen en 1997 avec Louise Harel, députée du Parti québécois dans Hochelaga-Maisonneuve et alors ministre d'État de l'Emploi et de la Solidarité.

recette, il est un élément qu'on ne touche ni ne contrôle : le temps.

C'est sans doute pour cette raison que la vision de l'homme, un véritable penseur (nous le savons, il va détester l'expression), est si large. Il écoute, s'imprègne de ce qu'il voit et entend, réfléchit. Pour avoir lui-même travaillé des journées de 20 heures, il sait qu'une telle réalité n'est pas le meilleur moyen de convaincre les jeunes de se joindre à la profession, de passionner les jeunes apprentis, d'assurer la relève.

Il ne faut pas croire que cette philosophie de vie n'est que sourire. La réalité, c'est... 70 employés à la fabrication, 150 autres à la vente qui portent en permanence une liste des choses à contrôler ; pas un boulanger qui ne possède un thermomètre pour pouvoir vérifier la température des pâtes ; et un suivi technique qui est pris très au sérieux.

L'homme à la baguette voulait un pain 5 étoiles pour lui et pour sa clientèle. Il l'aura obtenu. Il veut maintenant un avenir, une continuité pour laquelle il laisse une trace, un patrimoine, un savoir-faire, un savoir-être aussi avec ses indissociables complices. Des rêves, il en a encore, des idées aussi, et du temps qu'il ne veut pas perdre car il sait combien celui-ci est précieux et combien il exige des individus avant de porter fruits.

Les amuse-bouches

Bruschetta au crabe de l'Express

Joël Chapoulie

4 portions

- 2 ciabatta★
- 20 cl d'huile d'olive
- 30 cl d'huile d'avocat
- 2 gousses d'ail
- 400 g de chair de crabe en boîte ou surgelé,
  ou encore frais d'Alaska (déjà blanchi)
- 160 g de tomates pelées et épépinées
- 160 g de fèves de soya ou de gourganes
- 160 g de chair d'avocat
- roquette sauvage
- sel de mer et poivre

Frotter d'ail les ciabatta rôties (½ par personne),
sans croûte, et badigeonner d'huile d'olive au
pinceau. Peler, épépiner et couper les tomates en
cubes. Blanchir les fèves et les peler, puis ajouter
aux tomates. Ajouter la chair d'avocat coupée
en cubes, légèrement arrosée de jus de citron,
et le crabe. Mélanger le tout. Assaisonner de
poivre moulu et de sel de mer. Ajouter quelques
gouttes de tabasco au goût, l'huile d'olive,
l'huile d'avocat et le jus de citron. Garnir
chaque ciabatta du mélange et entourer de
roquette sauvage.

Restaurant L'Express
3927, rue Saint-Denis, Montréal
Téléphone : (514) 845-3047

Amuse-bouches sur baguette grillée

Chaque recette fait 12 canapés

Tapenade et tomates cerises

- 20 olives noires dénoyautées
- 6 filets d'anchois salés
- 5 cl d'huile d'olive biologique
- 10 feuilles de basilic frais
- 12 tomates cerises coupées en deux

Mélanger les olives, les anchois, le basilic et l'huile d'olive. Passer le tout au robot pendant quelques secondes pour obtenir un mélange homogène. Tartiner et ajouter les tomates cerises.

Guacamole et asperges

- 2 avocats mûrs
- 1 citron vert
- 12 asperges
- 2 échalotes françaises
- coriandre fraîche
- tabasco

Voir la recette de guacamole du sandwich club au saumon fumé. Ajouter une pointe d'asperge et un brin de coriandre sur chaque croûton de baguette grillée.

Caviar d'aubergine, fromage de chèvre et saumon fumé

- 2 aubergines moyennes
- 60 g de fromage de chèvre frais
- 40 g de saumon fumé
- 5 cl d'huile d'olive

Couper les aubergines dans le sens de la longueur. Saler, poivrer, ajouter l'huile d'olive et passer au four à 200 °C (350 °F) pendant 30 minutes. Laisser refroidir les aubergines puis retirer la chair à l'aide d'une cuillère. Mélanger la pulpe obtenue avec le fromage de chèvre au mélangeur. Rectifier l'assaisonnement. Tartiner les toasts et ajouter le saumon fumé.

Confiture d'oignons et jambon de canard séché

- 1 pot de 250 ml de confiture d'oignons au vin rouge
- 12 tranches de jambon de canard séché
- cerfeuil frais

Disposer la confiture d'oignons sur les toasts, ajouter les tranches de jambon de canard séché et quelques brins de cerfeuil.

Bruschetta

- 6 tomates pelées et épépinées
- 1 botte de ciboulette fraîche
- 5 cl d'huile d'olive
- 1 citron vert
- tabasco

Peler les tomates en les plongeant dans l'eau bouillante pendant 30 secondes. Les couper en 4, enlever le milieu puis couper les quartiers en dés. Ajouter la ciboulette ciselée, le jus du citron, le sel, le poivre, l'huile d'olive et le tabasco. Étaler le mélange sur des toasts grillés.

Bruschetta du Soubise

Daniel Alonso

4 à 6 portions

- 3 tomates en petits dés
- 1 oignon
- persil frais haché
- ail
- huile d'olive
- origan frais
- sel et poivre

Mélanger le tout. Déposer sur une baguette grillée.

Restaurant Le Soubise
1184, rue Crescent, Montréal
Téléphone : (514) 861-8791

Pailles au fromage et piment d'Espelette de Guillaume

Les maisons émergeaient çà et là des arbres. Et partout sur leurs balcons de bois, séchaient les citronilles jaune d'or, les gerbes de haricots roses ; partout sur leurs murs s'étageaient comme de beaux chapelets de corail, des guirlandes de piments rouges ! Toutes ces choses du vieux sol nourricier, amassées ainsi, suivant l'usage millénaire, en prévision des mois assombris où la chaleur s'en va.

L'auteur Pierre Loti décrit dans *Ramuntcho* le séchage du piment d'Espelette en Pays basque.

Entre 24 et 30 bâtonnets

- 600 g de pâte feuilletée★
- 200 g de fromage râpé★
- piment d'Espelette ou paprika au goût

Mélanger les ingrédients à la main. Préchauffer le four à 220 °C (385 °F). Étaler la pâte sur une épaisseur de 3 mm pour obtenir un rectangle d'environ 20 x 30 cm. Étendre le mélange de fromage et piment d'Espelette sur les ⅔ de la surface de la pâte puis la plier en portefeuille.

Allonger la pâte à nouveau pour obtenir un rectangle d'environ 25 x 50 cm. La couper en bandes de 1,5 cm. Rouler chaque bande pour obtenir une spirale. Torsader. Déposer sur une plaque à cuisson. Faire cuire 12 minutes.

Suggestion :
Pour obtenir une pâte dorée, battre un œuf entier et appliquer avec un pinceau sur les bâtonnets.

Duo de trempettes de Peter

Hoummos
Pour 12 croûtons du pain de votre choix coupés
en triangle :

- 400 g de pois chiches en conserve égouttés
- 2 c. à soupe de tahini
- 2 c. à soupe de jus de citron
- huile d'olive au goût
- 1 c. à thé de paprika
- quelques noix de pin grillées (facultatif)

Mélanger les ingrédients au robot pour obtenir
une pâte onctueuse. Ajouter assez d'huile d'olive
(ou d'eau) pour obtenir une consistance
crémeuse. Assaisonner et ajouter le jus de citron.
Servir avec quelques gouttes d'huile d'olive et un
soupçon de paprika. Décorer avec quelques noix
de pin grillées.

Baba ghanoush
Pour 12 croûtons du pain de votre choix coupés
en triangle :

- 1 grosse aubergine
- 1 c. à soupe de tahini
- 1 gousse d'ail fraîchement pressée
- le jus de 1 citron
- sel et poivre

Préchauffer le four à 200 °C (350 °F). Faire griller
l'aubergine pendant 30 minutes jusqu'à ce
qu'elle soit bien moelleuse. La laissez refroidir
puis la peler et la couper en dés. Réduire en
purée et incorporer l'ail, le tahini et le jus de
citron. Assaisonner au goût.

Tapenades

Tapenade noire

- 250 g d'olives noires Kalamata dénoyautées
- 50 g d'anchois à l'huile
- 50 g de câpres
- 50 g d'ail
- 250 g de concentré de tomate
- 50 ml d'huile d'olive extra-vierge
- sel et poivre

Mettre dans le robot les olives, les anchois, les câpres et l'ail, et hacher finement. Ajouter le concentré de tomate, puis rectifier l'assaisonnement au goût. Monter le tout à l'huile d'olive.

Tapenade verte

- 300 g d'olives vertes dénoyautées
- 90 g de câpres
- 30 g d'ail
- 60 g d'huile d'olive extra vierge
- sel et poivre

Procéder comme pour la tapenade noire.

Suggestions :

Servir sur des croûtons ou avec des légumes.

Ajouter à une soupe aux légumes pour lui donner du caractère.

Délicieux sur un chèvre chaud. Sur de petites tranches de pain, déposer des rondelles de Bouquetin de la ferme Tourilly (Portneuf) et passer au gril. Au sortir du four, ajouter un peu de tapenade noire sur le dessus. Servir avec une salade verte assaisonnée d'une vinaigrette à l'huile de noix et un verre de bon sancerre !

Mouillettes au fromage Riopelle et à la confiture de poires

Laurent Godbout

4 portions

- 300 g de fromage Riopelle de l'Isle
  (de la fromagerie de l'Île-aux-Grues)★
- 80 ml de confiture de poires, miel et amandes
  (Chez l'Épicier)★
- 1 pain ancêtre biologique

Après en avoir retiré la croûte, mettre le fromage dans 4 petits verres (des verres à *shooter*, par exemple). Dans le pain ancêtre biologique, couper une vingtaine de bâtonnets de 1 cm sur 10 cm. Déposer les verres et les bâtonnets de pain sur une plaque et mettre au four pendant 10 minutes à 150 °C (300 °F). Au sortir du four, verser la confiture sur le fromage et servir avec les bâtonnets de pain.

Restaurant Chez l'Épicier
311, rue Saint-Paul Est, Montréal
Téléphone : (514) 878-2232

L'histoire merveilleuse
de la baguette 36 heures

Reconnue pour cette fameuse baguette, la boulangerie Au Pain Doré vous livre la drôle d'histoire de cette star. Le restaurant l'Express est à l'origine du merveilleux conte.

Son chef, Joël Chapoulie voulait du pain frais pour les repas du lundi midi. Les boulangeries, à l'époque, ne cuisaient pas de pain le dimanche, et Jean-Marc ne voulait pas se lever pour cette unique commande. Quand on connaît le temps requis pour produire une bonne baguette, on peut le comprendre. Il se mit donc à réfléchir au moyen de résoudre le problème et eût l'idée de préparer le pain à l'avance, le samedi. Il laisserait reposer la pâte dans une chambre froide, ce qui ralentirait la fermentation et lui permettrait de la sortir et la faire cuire le lundi. Ainsi naquit la 36 heures avec son apparence particulière, sa couleur rougeâtre, sa double croûte et ses petites bulles. Inquiet de l'aspect de la fameuse baguette, Jean-Marc alla livrer lui-même le fruit de son labeur pour le présenter au chef et lui suggérer de le découper avant de le servir pour ne pas effrayer les clients! Mais… surprise! le chef commanda la même baguette car le succès de cette dernière avait été immédiat, et l'excellente baguette 36 heures avait disparu des corbeilles en un rien de temps. Jean-Marc avait rencontré un nouveau succès, montrant ainsi que tout boulanger d'antan qu'il était, il demeurait un artisan, mais… un artisan des temps modernes.

Les

c'est long com

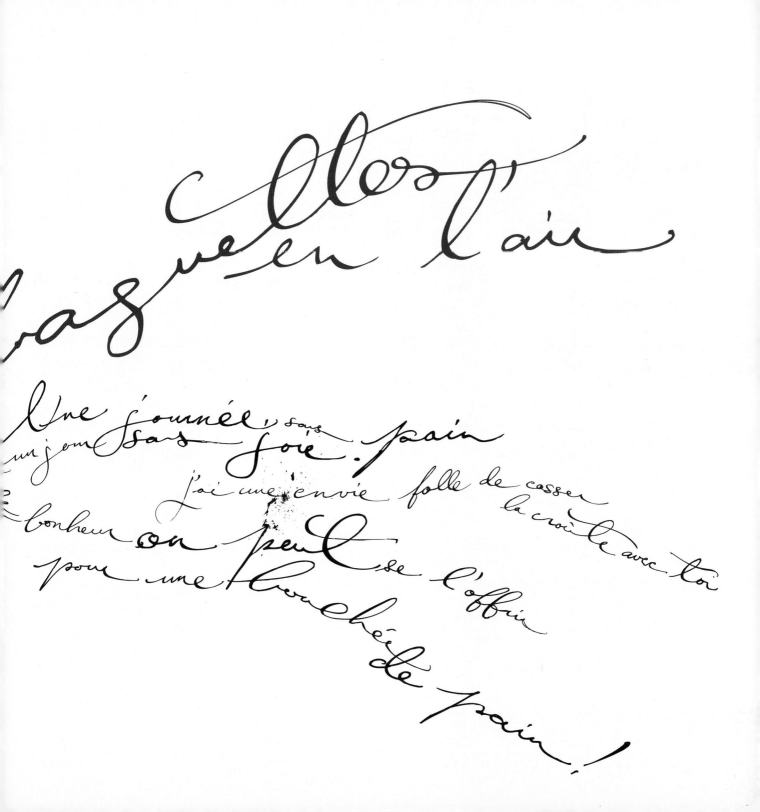

Les casuelles en l'air

Une journée sans pain
un jour sans joie . pain
J'ai une envie folle de casser
la croûte avec toi
bonheur on peut se l'offrir
pour une bouchée de pain !

Mariage de Jean-Marc
et de Diane, le 1er mai 1976.

Diane

Diane a débuté sa carrière comme représentante. Elle parcourait la province de Québec. Avec le développement de la boulangerie, elle s'est aussi mise à consacrer ses fins de journées aux commandes — un deuxième emploi à peu de choses près — mais un rôle important s'il en est puisqu'il lui permettait de prendre le pouls de la clientèle et d'orienter la fabrication.

Les mois passent et les idées fusent. En l'absence de ses beaux-parents, qui étaient partis en France pour six mois, Diane y va de quelques améliorations dans la gestion des commandes, notamment avec l'acquisition d'une machine comptable Olivetti pour mieux suivre les états de compte tout en gagnant beaucoup de temps. Puis c'est le départ vers de nouveaux horizons, un fameux 27 janvier 1983, sur la rue Marquette…

Le premier magasin de la rue Marquette

Aux alentours des années 1980, quelques révolutions ont cours dans certaines boulangeries montréalaises comme Bridor et Cousin qui commencent à offrir du pain congelé et du pain chaud dans différents points de vente. Au Pain Doré, on tient à respecter les traditions ancestrales en produisant le pain dans la nuit, ce qui fait qu'en milieu d'après-midi, s'il est toujours aussi bon le pain n'est plus chaud. Les clients hésitent, préférant parfois l'agréable sensation du pain qui sort du four, mais celui-ci ne répond pas aux critères de qualité qu'exige Jean-Marc et qui font la renommée d'Au Pain Doré. Dans ces années-là, le pain congelé qu'on trouve sur le marché n'a pas été soumis aux sept heures de fermentation nécessaires à sa parfaite finition; il s'agit plutôt d'un pain «trois heures» qui se révèle moins bon parce qu'il contient beaucoup de levure. L'équation est pourtant simple. Faire un pain, c'est: pétrir + laisser reposer + peser + laisser reposer + façonner + laisser reposer + enfourner = sept heures.

La fermentation de la pâte constitue une étape très importante de la fabrication. C'est elle qui

fortune. Jean-Marc se met aux fourneaux tandis que Diane, sa conjointe, et sa mère Odette deviennent vendeuses. Ce n'est qu'au terme d'une année qu'une aide viendra les seconder.

La folle histoire du succès de la boulangerie Au Pain Doré ne réside pas dans l'emplacement du premier magasin. Cette rue de l'arrondissement Rosemont– Petite-Patrie n'est pas commerçante, et les clients doivent savoir où elle se trouve pour s'y rendre. Mais la renommée de son pain est bien réelle, les gens l'aiment parce qu'il est bon. Et malgré l'emplacement excentrique de la nouvelle boutique, on vend et très bien. La famille Etienne décide alors d'élargir la production en offrant aussi des viennoiseries et des pizzas, mais pas encore des gâteaux, des fromages ou des charcuteries, car il s'agit d'une boulangerie, non pas d'une pâtisserie, et la différence entre les deux, c'est la pâte : l'une est vivante, l'autre ne l'est pas.

Un espion rôde dans le petit monde en effervescence. Le responsable du prêt qu'a consenti la Banque fédérale de développement au nouveau magasin se rend chaque vendredi sur les lieux pour voir ce qu'il en est. Il s'étonne du succès grandissant du commerce. Mais c'est sa visite de la veille de Noël qui le laissera sans voix : la rue Marquette est bloquée par les voitures qui se garent là où elles le peuvent à proximité de la boulangerie et embaume l'odeur du pain cuit dans l'arrière-boutique. On afflue de partout pour venir chercher son pain Au Pain Doré !

En 1989, Diane propose qu'on crée d'autres magasins, mais Jean-Marc refuse. Pourtant, en 1991, celui de la rue Saint-Denis ouvre ses portes.

donne au pain sa saveur et sa durée de conservation. Sans ces sept heures, point de salut.

L'idée d'un premier magasin de détail ayant germé, il faut maintenant la réaliser et gérer l'entreprise. Un grand pas pour la boulangerie Au Pain Doré que cette décision qui ne pouvait se concrétiser qu'au prix de bien des sacrifices, notamment celui du temps libre. À la différence du commerce de gros, les magasins de détail sont ouverts tous les jours, ce qui résume clairement le rythme qu'ils imposent : sept jours sur sept l'année durant! Tous s'y mettent. Ils entreprennent les travaux nécessaires pour transformer un ancien garage en magasin, ce qui coûte une petite

La rue Saint-Denis

La deuxième boutique, un demi-sous-sol, fera en un an le chiffre d'affaires de la rue Marquette. La gamme des produits offerts s'est encore élargie, et tant la vendeuse que la clientèle sont très sympathiques. Au Pain Doré augmente ainsi son rayonnement, touchant un autre quartier, un autre milieu aussi, celui de l'artistique Plateau. Résultat identique : le pain est glorifié. Alors les Etienne, des entrepreneurs toujours entreprenants, ouvrent un troisième magasin.

Le coin Peel–Sainte-Catherine

C'est encore une autre histoire. Nous sommes en 1992, en plein centre-ville de Montréal. L'endroit est très passant. Diane se souvient qu'ils avaient décidé de laisser le papier tendu dans les vitrines jusqu'à la fin des travaux et de ne faire aucune publicité, créant un suspens autour du commerce à venir. Le mardi de l'ouverture – les Etienne ouvrent toujours un mardi –, c'est Odette qui fait œuvre de première cliente, pour la chance. Le succès

est immédiat! Avec la jolie vitrine décorée exclusivement de pains...

Dans ce quartier de commerces et de bureaux, les sandwichs qu'ils offrent désormais font fureur. L'équipe travaillera tout l'été, six jours sur sept, puis sept jours sur sept. Diane y sera pour sa part six jours par semaine, de 7 h à 19 h, avec sa fille Julie. Encore une nouvelle clientèle – «de beaux messieurs bien habillés», nous confient Diane et Julie avec un sourire –, et encore une réussite! Et puis, comme si ce n'était pas suffisant, la boulangerie crée la baguette alvéolée qui fait craquer les cœurs.

La rue Laurier

Au mois d'août, Bernard Goyette, le conseiller de la famille Etienne, invite Diane à l'accompagner sur la rue Laurier, au coin de la rue de l'Épée, à Outremont. Malgré l'effervescence entourant l'ouverture du magasin de la rue Peel, les Etienne décident d'en créer un nouveau en novembre. Trois magasins en une seule année!

Il faut évidemment embaucher, former les employés au service et au conseil à la clientèle, mais aussi et surtout les initier au pain, à sa fabrication, à la découpe. Un énorme travail sur lequel Diane et Josée Doucet, une proche collaboratrice, veillent avec toute leur attention.

La rue McGill

C'est dans le magasin d'Outremont que débutera la fabrication des panini qui ne pouvait se faire sur la rue Peel par manque d'espace. La rue McGill, c'est une autre porte ouverte sur le centre-ville.

Avenue du Mont-Royal

En même temps que celui de Côte-des-Neiges, la famille Etienne fait l'acquisition d'un magasin sur l'avenue du Mont-Royal, dans le Plateau, où se côtoient maintenant cafés, restaurants, bars et boutiques. Celui-ci ouvrira ses portes en juillet.

La rue Rouen

Jusqu'à présent, toute la production pour l'ensemble des magasins se faisait sur la rue Marquette. Les viennoiseries et les pâtisseries furent ensuite déménagées au coin des rues Hochelaga et Viau, ce qui ne facilitait en rien la vérification et la surveillance. Alors, la rue Rouen est vite devenue une nécessité. La construction a été effectuée suivant les idées et les conseils de Jean-Marc qui connaissait tous les défauts de l'ancien immeuble et ne voulait surtout pas les retrouver dans le nouveau. C'est de la rue de Rouen que les produits seront désormais livrés aux différents magasins, incluant les sandwichs, les salades, les quiches et les tourtes, sans oublier les viennoiseries et les pâtisseries.

La réalité du boulanger ? Des commandes en gros qui arrivent la veille pour le lendemain ; l'estimation de la vente au détail selon les prévisions de la météo – elle qui joue un très grand rôle dans le temps que prendront les clients pour aller chercher, ou pas, leur pain ; les trois livraisons par jour à chaque point de vente pour offrir du pain

Côte-des-Neiges

On connaît le principe : pas de magasins trop proches les uns des autres pour ne pas devenir son propre concurrent. Les Etienne décident tout de même d'ouvrir un magasin sur le Chemin de la Côte-des-Neiges, mais à l'extrémité opposée d'Outremont, de l'autre côté de la montagne, dans un quartier qui possède ses propres services et une vie bien à lui. Dès son ouverture, le commerce connaîtra comme les autres un franc succès.

toujours frais — à l'ouverture, à 11 h et à 15 h… Bref, un souci constant de satisfaire le client qui lorsqu'il n'a pas son pain n'est pas rassasié — et est surtout déçu. Un souci constant, aussi, de bien gérer les stocks car fabriquer une trop grande quantité de pains ou d'autres produits entraîne une perte. Le cuit-congelé apportera enfin une réponse à ce casse-tête : Jean-Marc multipliera les tests pour atteindre une qualité constante tout en évitant les retours excessifs de produits invendus et en permettant les réserves. L'innovation viendra changer les habitudes, apportant un avantage pour tous, client comme fabricant.

Chaque magasin possédant son propre four, on pourra dorénavant offrir quotidiennement un pain frais sans jamais en manquer. Au Pain Doré entreprend d'appliquer le même procédé aux viennoiseries. À mesure que l'idée aura fait son chemin, que les clients l'auront acceptée et en seront friands, qualité aidant, l'entreprise proposera même des produits congelés que le client pourra réchauffer chez lui. Une occasion de se transformer

pour quelques instants en boulanger, sans les contraintes du métier, et de jouir des effluves que dégage la cuisson tout en profitant de la qualité de produits fabriqués avec le même soin, sans additifs ni agents de conservation ni sucre, avec des farines non blanchies, non traitées, sans gras trans.

Le boulevard Saint-Laurent

C'est Julie qui a eu l'idée du magasin sur le boulevard Saint-Laurent, et c'est elle qui l'a géré en totalité. Il a fonctionné immédiatement. Toujours pour les mêmes raisons : la qualité du pain, une gestion intelligente du personnel et la passion du métier. Lorsqu'elles entrent dans un magasin et y trouvent des clients, tant Julie que Diane mettent la main à la pâte. Elles ont des années d'expérience, des souvenirs à chaque coin de rue. Sur la rue Marquette, par exemple, elles avaient coutume d'offrir un petit pain au lait à chaque enfant dont les parents achetaient quelque chose, un geste qui se poursuivait auprès des mêmes petits… devenus grands ! L'habitude de donner, de faire goûter, de conseiller. Diane trouve essentiel d'aller au magasin pour rester en contact avec « la réalité ». Le plaisir de servir doit se voir, se sentir. Elle insiste aussi sur la connaissance que les employés doivent avoir des produits qu'ils vendent.

Le magasin de Laval

Nombreux étaient les Lavallois qui venaient jusqu'à la rue Marquette pour chercher leur pain. Un jour, la famille Etienne a décidé de les remercier de leur assiduité en réduisant leur fardeau : elle allait ouvrir un magasin chez eux avec, en prime, un

petit spécial côté restauration. C'est Diane qui s'occupe de l'administration et de la gestion et des magasins. Ses maîtres-mots: la générosité et le respect. Une constance dans la famille.

Au marché Jean-Talon
Voilà une histoire amusante et une manifestation de l'impact des boulangeries Au Pain Doré. Pour mener à terme sa nouvelle aventure au marché Jean-Talon, la famille Etienne a retapé un garage en mettant tout son cœur dans le souci du détail et la beauté du lieu. Le résultat donnera le ton en incitant à la rénovation les boutiques des alentours. Un signe que la qualité de ce que l'on vend est importante, mais que le soin consacré à l'accueil des clients l'est tout autant.

Les rues Monkland, à Notre-Dame-de-Grâce, et Greene, à Westmount
Julie s'est aussi occupée du magasin de la rue Monkland, Ce fut encore une fois un succès. Il a reçu un accueil particulièrement chaleureux des résidants du secteur et, de surcroît, une sincère bienvenue des commerçants voisins. Le magasin occupe un petit espace; on remarque que ce sont souvent les locaux restreints qui fonctionnent le mieux. L'ouverture du magasin sur la rue Greene, à Westmount, visait à atteindre une communauté anglophone aux habitudes différentes de celles qu'Au Pain Doré avait l'habitude de desservir. Les deux magasins des rues Monkland et Greene ont ouvert leurs portes le même jour, à la même heure.

La rue Sainte-Catherine

Le premier local prévu sur la rue Sainte-Catherine pour le nouveau magasin brûle. Les Etienne se tournent alors vers un lieu plus petit qui répondra lui aussi à la «règle» des espaces restreints, c'est-à-dire des résultats heureux.

Au marché Atwater

Situé sur la façade sud du marché Atwater, Au Pain Doré propose ici un nouveau concept et une toute autre ambiance: la consommation sur place avec, à l'intérieur, sa quantité de petites tables et chaises et, à l'extérieur, sa belle terrasse qu'apprécie la clientèle, il va sans dire.

Cette boutique témoigne de la santé florissante des boulangeries Au Pain Doré, de leur adaptabilité bien réelle à la clientèle. Elle dit aussi que leur pain est un trésor. La variété des pains qu'offrent désormais les magasins, de même que tous les autres produits proposés sur leurs étals et qui accompagnent souvent le pain — charcuteries, fromages et confitures, viennoiseries et pâtisseries —, confirment la renommée de l'entreprise et font de l'arrêt une parenthèse de plaisir.

Diane travaille fort et beaucoup – une habitude dans la famille Etienne. Elle a réussi à développer les magasins à une vitesse impressionnante et elle sait pourquoi. Ne lui parlez pas de pain aux noix, de 36 heures ou de miche quignon: elle disparaîtra pour déguster l'un ou l'autre. Elle se souvient encore de la première fois qu'elle a mangé une ficelle avec du pâté de campagne. Elle avait alors 16 ans et allait bientôt rencontrer celui qui fabriquerait pour elle et lui dé-dierait un jour une de ses créations: la miche au son! Mais par-dessus tout, Diane est une professionnelle, une consciencieuse incapable de vendre un produit qu'elle n'aime pas. Soutenue par Odette qui vient encore faire son tour à l'usine pour en apprécier les innovations, elle sait que ce n'est pas là qu'on l'attend surtout, mais le 24 décembre quand elle préparera le dîner et assurera pour une année encore son titre d'extraordinaire cordon bleu.

Recherche, développement, respect, générosité et souci du client nourrissent la famille Etienne. S'il faut du pain bio pour répondre à la demande, elle produit le meilleur, le fabriquant dans un local à part pour respecter toutes les normes sanitaires et les diverses certifications qui exigent l'absence de tout contact avec les autres produits. Elle développe aussi ses ventes jusqu'à Boston, pour une distribution de gros, Las Vegas, pour la vente dans les hôtels, la Floride, pour Eurobread & Café, une entreprise dirigée par des Montréalais qui offrent le cuit-congelé. Il n'y a pas de frontières pour le pain. Mais… n'est-ce pas à Montréal qu'on trouve l'un des meilleurs?

Les casse-croûte

Club sandwich au saumon fumé et au guacamole

Une autre version du traditionnel club au poulet

4 portions

- 12 tranches de pain carré blanc ou brun (½ pouce d'épaisseur)*
- 4 avocats mûrs
- 3 échalotes françaises
- 20 g de coriandre fraîche
- 4 citrons verts
- 3 tomates
- 350 g de saumon fumé
- 12 tranches de bacon
- tabasco, sel, poivre
- feuilles de roquette

Éplucher les échalotes, les hacher finement. Ciseler la coriandre, presser les citrons verts, éplucher 1 avocat et le couper en petits dés. Éplucher l'autre avocat, en mixer la chair afin d'obtenir une purée lisse. Mélanger la purée d'avocat avec les éléments préparés (échalotes, coriandre, citrons verts et avocats en dés). Votre guacamole est prêt. Ajouter sel, poivre et tabasco au goût. Cuire les tranches de bacon. Faire griller les tranches de pain.

Montage :

Tartiner 2 tranches de pain de guacamole. Ajouter :
- 1 tranche de saumon
- 2 tranches de tomates
- roquette
- 2 tranches de bacon

Superposer ces 2 tranches garnies. Fermer avec une tranche nature. Piquer à l'aide de pics en bois aux 4 coins. Trancher en diagonale en partant des angles. Dresser sur une assiette avec un accompagnement de salade de pommes de terre bleues et blanches arrosées d'huile d'olive au citron.

Le multigrains biologique aux légumes grillés et fromage de chèvre du Québec

Une façon originale de présenter une terrine

4 portions

- 1 pain multigrains biologique non tranché★
- 500 g de chèvre frais du Québec à tartiner★
- 3 poivrons (1 jaune, 1 rouge, 1 orange)
- 2 courgettes
- 1 aubergine moyenne
- 20 g de pesto
- 8 asperges vertes
- huile d'olive
- sel et poivre

Couper les aubergines et les courgettes dans le sens de la longueur. Les cuire dans l'huile d'olive en les assaisonnant avec le sel et le poivre. Faire dégorger sur du papier essuie-tout pour retirer l'excès d'huile. Cuire les asperges dans de l'eau bouillante salée pendant 3 minutes, les refroidir à l'eau froide afin qu'elles gardent leur couleur verte. Mélanger le chèvre et le pesto pour obtenir une consistance lisse. Mettre les poivrons sur une plaque à four chaud 250 °C (450 °F) pendant 10 minutes. Les déposer dans un saladier, recouvrir d'une pellicule plastique, attendre 10 minutes puis enlever la peau.

Couper en 2 dans le sens de la longueur. Couper le dessus du pain multigrains, le vider de sa mie.

Montage :

Tapisser l'intérieur du pain avec la moitié du mélange chèvre et pesto. Ajouter les légumes à votre convenance en alternant les couleurs jusqu'au remplissage du pain. Finir avec le reste du mélange chèvre et pesto. Remettre le couvercle du pain. Envelopper le pain farci d'une pellicule plastique en le tassant légèrement. Réfrigérer pendant 6 heures. Couper en tranches de ½ pouce d'épaisseur. Déposer sur l'assiette en la décorant avec le reste des légumes grillés.

On peut accompagner le multigrains aux légumes grillés d'un sorbet au melon.

Le Cyrano

4 portions

- 4 baguettines aux graines de pavot★
- 40 g de moutarde de Dijon
- 320 g de rillettes de canard★
- 32 g de petits cornichons français
  (Au Pain Doré Gourmet)★
- sel et poivre

Couper les baguettines en deux dans le sens de
la longueur. Les tartiner de moutarde de Dijon.
Étaler généreusement les rillettes de canard.
Couper les cornichons en deux dans le sens de
la longueur et déposer sur les rillettes. Saler et
poivrer, puis, pour servir comme un sandwich,
remettre le dessus de la baguettine.

Accompagner d'une salade verte.

Sandwich au gâteau d'omelette

Un sandwich «pique-nique» de week-end fait avec les restes de la semaine

4 portions

- 4 pains ciabatta★
- 8 œufs
- huile d'olive
- restes de la semaine (poulet, fromage, etc.)
- sel et poivre

Battre les œufs, saler, poivrer. Incorporer un des restes coupé en dés dans le mélange. Chauffer votre poêle avec un peu d'huile d'olive. Verser le mélange d'œufs battus et d'un ingrédient (restes), remuer jusqu'à la fin de la cuisson. Mettre de côté l'omelette sur une assiette. Répéter l'opération avec chacun des restes. Superposer les différentes omelettes à la manière d'un gâteau. Recouvrir d'un pellicule plastique puis d'une assiette afin de tasser le tout. Réfrigérer pendant 24 heures. Couper en tranches et en garnir vos sandwichs de pain ciabatta. Ajouter à votre convenance tomate, laitue, huile d'olive, sel, poivre.

Le gâteau d'omelette peut aussi être servi comme terrine de légumes, en entrée froide, accompagné d'un coulis de tomates fraîches et de feuilles de basilic.

Le croque aux poires et prosciutto

Un croque sucré-salé

4 portions

- 8 tranches de pain brioché★
- 4 tranches fines de prosciutto★
- 2 poires mûres
- 100 g de fromage râpé★
- 80 g de farine
- 60 cl de lait
- 60 g de beurre
- 50 g de moutarde
- 15 g de sel
- 4 g de poivre

Faire fondre le beurre dans une casserole sans le laisser brunir. Ajouter lentement la farine et mélanger afin d'obtenir une pâte homogène. Incorporer doucement le lait froid en remuant à l'aide d'un fouet. Porter à ébullition, laisser sur le feu pendant 20 secondes, puis retirer. Ajouter le sel, le poivre et la moutarde en mélangeant bien. Peler les poires en prenant soin d'enlever les pépins. Les couper en fines tranches de 4 millimètres d'épaisseur. Étaler la béchamel sur 4 tranches de pain, ajouter le jambon puis les tranches de poire. Ajouter les 4 autres tranches de pain et couvrir avec le reste de la béchamel.

Parsemer de fromage râpé en appuyant légèrement sur la béchamel pour faire pénétrer. Préchauffer le four à 250 ᵁC (425 ᵁF). Cuire de 6 à 8 minutes sur la grille au milieu du four. Saler et poivrer avant de servir.

Accompagner d'une salade d'endives aux pignons et à l'huile d'olive au citron.

Hamburger au veau, confiture d'oignons et bleu Bénédictin

La qualité du pain campagnard donne une autre dimension au hamburger

4 portions

- 4 pains campagnard aux olives★
- 4 tranches de bacon
- 600 g de viande de veau hachée
- 1 botte de cresson ou de roquette
- 3 tomates
- 4 tranches de fromage Chaliberg★
- 80 g de fromage bleu Bénédictin
- 1 pot de confitures d'oignons
  (Au Pain Doré Gourmet)★
- 2 cuillers à dessert de moutarde de Dijon

Avec la moitié de la viande, faire 4 galettes. Y disposer le fromage bleu puis recouvrir avec le reste de la viande en prenant soin de bien tasser les boulettes. Cuire à feu moyen sur le barbecue ou dans une poêle. Couper en deux les pains campagnard, les faire griller puis les badigeonner d'huile d'olive au basilic et de moutarde de Dijon.

Ajouter en couches successives sur 4 moitiés de campagnard : la galette de veau au bleu, la confiture d'oignons, la roquette ou le cresson, les tomates en tranches, le fromage Chaliberg et le bacon.

Fermer avec les 4 autres moitiés de campagnard. Déguster immédiatement avec une délicieuse salade de roquette ou une frisée. Accompagner d'une galette de pommes de terre.

Savoureuse tartine tartiflette

À servir avec une salade d'endives aux noix

4 portions

- 4 tranches de miche au son★
- 120 g de lard
- 400 g de pommes de terre
- 120 g d'oignons
- 160 g de fromage Sir Laurier★
- 60 g de crème épaisse 35 %
- 20 g de beurre

Faire cuire les pommes de terre avec la peau pendant 20 à 25 minutes dans l'eau salée, les peler et les couper en fines tranches. Trancher le Sir Laurier en lamelles. Découper le lard en dés de 5 mm et faire colorer dans une poêle avec du beurre. Retirer de la poêle.

Garder le jus de cuisson dans la poêle, peler les oignons, les émincez et les faire cuire dans le jus de cuisson des lardons jusqu'à ce qu'ils deviennent translucides. Ajouter les lardons, mélanger et assaisonner au goût. Couvrir toute la surface des tartines avec les rondelles de pommes de terre, recouvrir avec le mélange des oignons et lardons, puis les lamelles de fromage. Nappez les tartines de crème épaisse.

Préchauffer le four à environ 225 °C (400 °F). Placer les tartines sur une plaque de cuisson recouverte d'une feuille de papier d'aluminium. Enfourner et faire gratiner de 4 à 5 minutes seulement, pour ne pas faire sécher le pain. Servir aussitôt.

Feuilletés d'escargots et pétoncles à la fondue de poireaux

4 portions

- 500 g de pâte feuilletée*
- 24 escargots (en boîte)
- 6 poireaux
- 4 gros pétoncles
- 4 tranches fines de prosciutto
- 100 g de beurre
- 400 ml de crème
- 2 bottes de basilic
- 600 ml de vin blanc
- 600 ml de fond de volaille
- 12 tomates cerises
- 6 échalotes
- 1 œuf

Étaler la pâte feuilletée sur une épaisseur de 1 cm. La couper en carrés de 10 cm. Cuire au four à 200 °C (350 °F) pendant 10 à 12 minutes. Couper les blancs de poireaux en deux dans le sens de la longueur, les émincer finement, les laver et les égoutter. Faire fondre 50 grammes de beurre dans une casserole, y cuire les poireaux. Assaisonner en fin de cuisson. Rincer les escargots à l'eau froide, les égoutter. Couper le prosciutto en petits dés, hacher trois échalotes. Faire revenir les escargots, le prosciutto et les échalotes dans l'huile d'olive. Cette opération ne doit pas dépasser 1 minute.

La sauce:

Faire revenir sans les faire brunir 3 échalotes hachées. Ajouter le vin blanc, le fond de volaille et la crème. Laisser réduire de moitié. Au moment de dresser vos feuilletés, ajouter le basilic ciselé et mélanger.

Poêler les pétoncles 30 secondes de chaque côté. Couper le haut des feuilletés et chauffer à four moyen. Réchauffer le mélange d'escargots et de poireaux. En garnir les feuilletés. Remettre en place les chapeaux des feuilletés. Entourer de pétoncles. Déposer sur chacun une tomate cerise. Entourer de sauce au basilic.

Quiche au chorizo, asperges et aubergine confite

4 portions

- 1 paquet de pâte brisée Au Pain Doré★
- 1 tasse de lait (250 ml)
- 1 tasse de crème 35 % (250 ml)
- 2 œufs entiers
- 2 jaunes d'œufs
- 1 aubergine
- 1 botte d'asperges
- 120 g de chorizo (ou saucisson épicé)
- 80 g de fromage râpé
- noix de muscade
- huile d'olive
- sel et poivre

Abaisser la pâte à ½ cm d'épaisseur et la déposer dans une assiette à tarte. Réserver au réfrigérateur. Couper l'aubergine en dés, la faire cuire à feu doux dans une poêle avec de l'huile d'olive. Assaisonner et égoutter. Émincer les asperges, les faire cuire dans la même poêle que l'aubergine dans un peu d'huile d'olive pendant 2 minutes. Couper le chorizo en petits dés. Mélanger les 3 derniers ingrédients — aubergine, asperges et chorizo. Préchauffer le four à 200 °C (350 °F).

Casser les 2 œufs dans un bol, ajouter les 2 jaunes d'œufs, la crème, le lait, le sel, le poivre et quelques pincées de muscade râpée. Bien mélanger le tout. Disposer le mélange d'aubergine, d'asperges et de chorizo sur le fond de tarte. Recouvrir du mélange œufs, crème et lait. Ajouter le fromage râpé. Cuire pendant 20 minutes.

Servir tiède avec une salade mesclun arrosée d'une vinaigrette à l'huile d'olive au basilic.

Focaccia de Geneviève et Dominic

- 1 pâte à pizza Au Pain Doré★
- 100 g de fromage Cheddar de l'Île-aux-Grues vieilli 2 ans, râpé★
- farine tout usage
- tomates séchées
- 30 ml d'huile de tomate
- 4 gousses d'ail
- 30 ml de parmesan râpé
- ½ oignon rouge finement haché
- 1 tomate fraîche coupée en dés
- 15 feuilles de basilic frais haché

Faire décongeler la pâte à pizza pendant environ ¾ d'heure sur le comptoir (il est préférable de la travailler à la température de la pièce). Mélanger le cheddar à la pâte; pour une meilleure manipulation, utiliser un peu de farine.

Étendre la pâte de façon à obtenir une forme rectangulaire d'environ 13 x 35 cm (5 x 14 po). Laisser reposer quelques minutes sur une plaque de cuisson. Pendant ce temps, préparer une sauce de type pesto en mélangeant au robot les tomates séchées, l'ail et l'huile. Étendre la sauce sur la pâte et saupoudrer de parmesan. Cuire au four à 180 °C (350 °F) pendant 30 minutes. Pendant la cuisson de la pâte, faire macérer la tomate coupée en dés et le basilic. Sortir la focaccia et y ajouter le mélange de tomate et basilic, et du parmesan. Remettre au four pour 15 minutes. Servir la focaccia chaude ou froide, en la parsemant d'oignon haché.

Salade de betteraves jaunes de Julie

4 à 6 portions

- 1 pot de betteraves jaunes de 370 ml
  (Au Pain Doré Gourmet)★
- 100 g de mini-roquette ou cresson
- 180 g de fromage de chèvre ou de feta émietté★
- vinaigrette maison
  (Au Pain Doré Gourmet)★
- noix de pin ou de Grenoble grillées
- sel de mer, poivre

Faire griller les noix et réserver. Mélanger les
ingrédients et assaisonner au goût. Verser un filet
de vinaigrette maison et ajouter les noix grillées.

Servir acompagné d'une fougasse aux tomates
séchées.

Salade de homard des Beaux Jeudis

Olivier Rebuffel

6 portions

- 6 miches au levain★
- 3 homards
- 4 endives
- 6 échalotes vertes
- 3 bouquets de cresson
- 1 salade frisée
- 1 barquette de tomates cerises
- vinaigrette aux herbes
- 12 courgettes ciselées
- 12 carottes ciselées

Couper le dessus des pains en couvercle et les
creuser. Pocher les homards dans un court-
bouillon très parfumé. Décortiquer les homards.
Mélanger la salade frisée avec le cresson et la
vinaigrette. Déposer le mélange dans les pains,
puis la chair de homard coupée en médaillon,
les carottes et les courgettes ciselées. Décorer
avec des feuilles d'endives. Ajouter un cordon
de sauce armoricaine.

Restaurant Les Beaux Jeudis
Hôtel de la Montagne
1430, rue de la Montagne, Montréal
Téléphone : (514) 288-5656

Tartine pissaladière au fromage du Québec

4 portions

- 8 tranches de pain de seigle★
- 800 g d'oignon
- 20 g d'ail frais
- 200 g d'olives noires
- 160 g d'anchois ou de sardines dans l'huile
- 200 g de fromage du Québec (Victor et Berthold ou Cheddar de l'Île-aux-Grues vieilli 2 ans)★
- 10 g de sucre
- huile d'olive au romarin
- thym ou romarin frais

Émincer les oignons et hacher finement l'ail. Mélanger dans 20 ml d'eau le sucre, l'ail et les oignons. Faire réduire pendant 30 minutes à feu doux jusqu'à ce que le liquide soit évaporé. Laisser refroidir. Recouvrir les tartines de pain de ce mélange d'oignons cuits. Préchauffer le four à 300 °C (525 °F). Ajouter les filets de sardines ou d'anchois, saupoudrer de fromage râpé, ajouter les olives noires. Verser un filet d'huile d'olive au romarin. Déposer les tartines sur une plaque de cuisson recouverte de papier d'aluminium. Faire gratiner pendant 4 minutes seulement, pour éviter que le pain ne sèche. Parsemer de thym ou de romarin frais et servir.

Mini-sandwich au chutney de canneberges et confit de canard

4 portions

- 2 cuisses de confit de canard ou de pintade★
- 50 g de fromage bleu Bénédictin★
- 1 salade trévise (salade rouge et croquante aussi appelée chicorée rouge)
- 1 pot de chutney de canneberges de 314 ml★
- 8 rolls dorés ou au blé★

Retirer la chair des cuisses de canard en ayant préalablement enlevé la peau. Émietter le bleu Bénédictin. Mélanger ces 2 ingrédients avec le chutney de canneberges. Couper les rolls en deux, étendre 1 feuille de salade trévise sur chaque tranche. Ajouter le mélange de canneberges, confit et bleu. Refermer les rolls et déguster.

Piccata de veau milanaise du Piémontais

4 portions

- 4 piccata de veau, un peu plus épaisses que l'escalope, le tout pesant 300 g (les tranches de veau doivent provenir de la fesse [noix de veau] ou du contre-filet [longe de veau])
- 30 g de fromage parmesan râpé
- 30 g de beurre
- 20 g de beurre pour lier la sauce
- 4 c. à soupe d'huile d'olive
- 3 c. à soupe de vin blanc sec
- 1 œuf entier battu
- jus d'un demi-citron
- 4 tranches de citron sans zeste
- 3 c. soupe de sauce demi-glace ou bouillon de bœuf
- 2 c. à thé de persil haché
- 2 c. à thé de farine
- sel et poivre au goût

Dans un poêlon faire chauffer à feu moyen-vif le beurre et l'huile. Assaisonner la viande, la saupoudrer de fromage parmesan râpé et de farine, la passer dans l'œuf battu. Faire dorer sur chaque face.

Dégraisser. Ajouter le jus d'un demi citron et le vin blanc sur la viande. Laisser réduire de moitié, ajouter la demi-glace ou le bouillon de bœuf. Lier la sauce avec 20 g de beurre. Dresser la viande sur une assiette, et mettre sur chaque piccata une tranche de citron saupoudrée de persil haché et servir.

Restaurant Le Piémontais
1145 A , rue de Bullion, Montréal
Téléphone : (514) 861-8122

Fondue aux fromages du Québec de Karine

4 portions

- 325 g de fromage suisse Perron râpé★
- 250 g de fromage Oka râpé★
- 175 g de fromage Mamirolle coupé en petits cubes★
- 375 ml de vin blanc sec
- 1 gousse d'ail
- 5 ml de fécule de maïs
- 15 ml de Sortilège (alcool parfumé à l'érable)
- fines herbes (persil, origan ou autre herbe douce)
- muscade
- poivre

Frotter votre caquelon avec la gousse d'ail. Faire chauffer le vin blanc dans le caquelon avec la gousse d'ail. Laisser mijoter pendant 3 minutes puis passer au chinois. Remettre le vin dans le caquelon et ajouter une petite partie du fromage. Laisser fondre en remuant légèrement. Ajouter petit à petit le fromage en prenant soin de le laisser fondre avant d'en remettre. Lorsque tout le fromage est fondu, ajouter la fécule diluée dans le Sortilège. Bien mélanger et assaisonner.

Servir avec de la baguette 36 heures (notre préférée pour la fondue), de la fougasse aux olives noires ou aux tomates séchées et basilic, du pain aux noix ou d'autres pains de votre choix.

Julie

Longtemps, Julie ne porta que des chaussons de danse. Elle se voyait à l'opéra, dansant *Le Lac des cygnes*. C'était cela ou rien. Elle a travaillé dur pour y arriver, des années durant. Mais la farine et le pain ont fini par avoir raison d'elle. Aujourd'hui, elle ne le regrette plus car elle est animée par la même passion que celle de ses aïeuls. Et par son admiration pour sa grand-mère Odette qu'elle a passé tant de soirées à écouter lui raconter sa vie. C'est ainsi que Julie est devenue la gardienne de la mémoire familiale, elle qui a été si attentive à la fabuleuse histoire du Pain Doré qui l'a bercée comme d'autres l'ont été par les contes d'Andersen.

Julie dormait chez sa grand-mère deux fois par semaine, ne pouvant tous les soirs rentrer chez ses parents à cause de l'horaire chargé que lui imposait son DEC en danse et ses études en administration.

Elle écoutait alors sa mamie, comme elle l'appelle, lui raconter la guerre et l'émigration, lui apprendre l'art de la table, lui expliquer combien le métier de boulanger était important. Elle ajoute en souriant que le fumet du civet de lapin à la moutarde motivait quelques-uns de ses arrêts, elle qui était aussi fascinée par les talents de cuisinière d'Odette.

La passion des bonnes choses

La vie gravite autour de la cuisine chez la famille Etienne, raconte Julie. « C'est long de faire un repas, comparativement au temps qu'il faut pour le manger… Chez nous, tout se passe dans la cuisine, pas dans le salon. »

Son grand-père, un homme très travaillant, était aussi un bon vivant et aimait s'amuser. Parfois, il allait passer une nuit dans sa « cabane au Canada », comme il l'appelait, à Notre-Dame-de-la-Merci. Il y invitait beaucoup. Il arrivait qu'Odette ait à préparer le souper pour vingt personnes pour ensuite faire… ses états de compte! Elle n'arrêtait jamais, malgré sa charge et les aléas de la vie. Julie l'admire.

Forte des judicieux conseils de sa grand-mère et soutenue par des parents aimants tout en étant motivée par l'idée d'avoir de l'argent de poche et d'être autonome dans les magasins de vêtements, Julie commence à travailler à l'âge de 13 ans avec sa mère. Ses études se déroulaient bien (elle avait une année d'avance sur ses camarades de classe), ce qui lui donnait du temps pour vivre d'autres expériences. C'est sur la rue Marquette qu'elle a débuté,

Josée Doucet
a travaillé
durant
quinze ans
Au Pain Doré.

tres membres de la famille, elle ne fait pas les choses à moitié, se donnant corps et âme à l'entreprise familiale. Elle gagnait sa vie, était autonome, s'achetait les vêtements à la mode dont elle rêvait. Bien du chemin parcouru en peu de temps pour une jeune fille de son âge.

Encore la rue Marquette

Julie habite la rue Marquette jusqu'à l'âge de six ans, au-dessus de la boulangerie qui était, avec la ruelle à l'arrière, son terrain de jeu. Souvent, elle se sauvait de l'appartement, qui communiquait avec la boulangerie, pour aller «emprunter» quelques barres de chocolat qui servaient à la confection des chocolatines et dont elle avait vite fait de trouver la cachette!

copiant les gestes et les paroles de sa mère, Diane, et vivant les mêmes émotions, notamment celles de la veille du 24 décembre et du magasin «noir de monde». Elle se rappelle bien les nuits du 23 au 24 où, au lieu de dormir, elle comptait les bûches et y joignait les factures correspondantes avec Josée Doucet. Elle travaillait aussi les samedis et pendant les congés d'été.

De la rue Marquette, elle passe à la rue Saint-Denis. Elle adorait l'ambiance du quartier, la proximité du théâtre, le passage des vedettes. Elle non plus n'a pas oublié les six jours–semaine des débuts et les journées de treize heures. Mais elle se souvient aussi de la découverte du centre-ville et «des beaux messieurs bien habillés qui sentaient bon»! Comme sa grand-mère, Julie aime les bonnes choses et les choses bien faites. Et quand elle découpe une baguette pour en faire un sandwich, rares sont ceux qui n'en redemandent pas. Les sandwichs de Julie sont fort appréciés, et la demande difficile à suivre. Elle se rappelle qu'elle fournissait sans arrêt le comptoir. Comme les au-

Après le bain, on lui défendait de descendre à cause de la poussière de farine. Mais dès qu'elle le pouvait, elle se sauvait, irrésistiblement attirée par la boulangerie. C'est un des boulangers de l'époque, Daniel Brun, qui lui apprend à rouler les chocolatines et les croissants, juste après l'émission Passe-Partout!

La ruelle n'avait pas non plus beaucoup de secrets pour elle et son frère Charles. Ils se laissaient emporter par leur buggy dans la côte. Elle jouait à la marchande dans la boulangerie avec une calculatrice presque aussi grosse qu'elle, et se faufilait dans le bureau, ce qui était interdit.

Julie vivait au rythme de la boulangerie. Le bruit de la balancelle où reposaient les pains et qui la berçait, ne la réveillait jamais mais l'a vue grandir.

À 19 ans, elle quitte la maison, son DEC en technique administrative en poche. Elle s'envole pour le Mexique avec une note de son père: «J'aurai besoin de toi en février. Tu rentres ou tu restes là-bas, tu es libre, mais si tu y restes tu ne trouveras pas forcément ta place plus tard». C'est de bonne guerre, et Julie s'y pliera. La tâche qu'on lui assigne est celle de représentante des ventes de gros après un stage en alimentation. Ce travail ne lui plaira pas, et elle préférera occuper un poste à la réception… jusqu'à sa rencontre avec Bernard Goyette.

Bernard Goyette

Bernard Goyette sera le mentor de Julie. C'est lui qui percevra son potentiel et poussera l'idée qu'elle fasse autre chose. «C'était un personnage coloré et un homme d'affaires exceptionnel», confie Julie. C'est lui qui incitait la famille à ouvrir les magasins, qui trouvait les endroits stratégiques et négociait les baux. Il prend Julie sous son aile, lui achète son premier ordinateur, lui met un *Excel pour les nuls* entre les mains en lui suggérant de se débrouiller avec. C'est ce qu'elle fera… en informatisant une bonne part des magasins.

Elle se souvient de lui quand il lui disait: «Viens, on va cruiser sur Sainte-Catherine», ce qui signifiait qu'ils allaient chercher ensemble des emplacements pour d'éventuels magasins. Il l'emmenait aux négociations. Ils ont travaillé ensemble à l'ouverture des magasins de McGill, Mont-Royal et Côte-des-Neiges. Puis un jour, c'est elle qui trouve l'emplacement du magasin du boulevard Saint-Laurent et s'occupe de le démarrer.

Rien ne les arrête, ces deux-là. Suivront les magasins des rues Monkland et Greene qui, nous l'avons vu, ouvriront la même journée. C'est avec Bernard Goyette que Julie négocie. Mais elle s'occupera elle-même de diriger les chantiers, de faire affaire avec les entrepreneurs généraux, de voir aux céramiques, aux tuyaux, aux ouvertures des portes.

Bien vite elle se retrouve seule dans la fosse aux lions alors que Bernard Goyette, parti naviguer, se perd dans une tempête et que ses parents se trouvent en Europe. Julie se charge de l'embauche des employés, de leur formation et de l'ouverture, le jour de Pâques, de deux magasins. Rien de moins. Tout au long de cette saga, les coordonnatrices Josée Doucet et Johanne Leblanc lui apporteront une aide précieuse à la gestion et à la rentabilité des magasins. Tout comme Christine et Geneviève, les coordonnatrices actuelles, Marie-Pierre et Mélanie, aux ressources humaines, et Karine, chargée de

Tous les produits Au Pain Doré Gourmet sont cuisinés comme à la maison avec des produits de première qualité, sans agent de conservation ni colorant.

projet s'occupant aussi de la formation du personnel. Après tout ce que Julie aura affronté, ouvrir dans la même année les magasins des rues Monkland, Greene et Sainte-Catherine, et celui du marché Jean-Talon ne sera pas une histoire! Mais elle précise: «Je ne fais pas ça seule, je travaille avec mon équipe à qui je dois rendre hommage. Sans elle, nous n'en serions pas là».

Aujourd'hui

Aujourd'hui, Julie continue sur sa lancée. Elle cuisine comme sa grand-mère, gère les magasins avec sa mère, fourmille d'idées comme son père. Elle s'occupe de la croissance de l'entreprise et de la rénovation, ouvre un étage sur la rue Peel, voit à l'agrandissement du magasin Monkland et à l'installation d'un four dans celui du boulevard Saint-Laurent; elle veille aux 52 sortes de pain de la boulangerie et au développement d'une gamme de produits «Au Pain Doré Gourmet»; offre et suit

la formation du personnel afin que le client obtienne un service de premier ordre.

Elle s'occupe de la publicité et du marketing, revampe l'image et le logo de la maison, intègre les sacs biodégradables dans les boutiques en associant à la nouveauté une opération promotionnelle environnementale qui incite les clients à se mettre au pas en leur offrant une économie de cinq cents lorsqu'ils réutilisent leurs sacs.

Quant à l'école de formation Au Pain Doré, sur la rue Mont-Royal, Julie s'assure que celle-ci tient ses engagements; elle voit aussi à la bonne marche des séminaires sur le pain et le fromage. Elle a par ailleurs participé activement à la décentralisation de la gestion de l'entreprise en responsabilisant les gérantes et en informatisant le système de caisse grâce à la gestion informatisée des commandes. Ainsi, ce sont désormais les gérantes qui embauchent le personnel, se chargent des commandes – ce qui est acheté doit être vendu –, gèrent les emballages, voient à l'entretien et la réparation des appareils – les fours dans les boulangeries exigent un entretien méticuleux.

La générosité

Julie n'aime pas qu'on jette. Alors, elle donne. Une action que partagent les autres membres de la famille. C'est ainsi que s'ouvrira, sur la rue Rouen, un magasin où l'on peut se procurer le «pain d'hier», un produit encore très bon, bien qu'il ne soit pas frais du jour, et bien meilleur marché. Un franc succès. De plus, les invendus sont donnés à différents organismes et œuvres de charité. Car le pain, ça se partage!

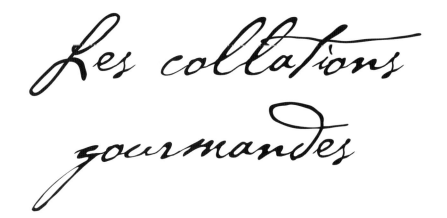

Les collations
gourmandes

Le Mamie dessert

4 portions

- 2 ficelles★
- 160 g de beurre doux
- 200 g de chocolat 70 % cacao Au Pain Doré★

Couper la ficelle en deux dans le sens de la longueur. Tartiner la mie de beurre. Râper le chocolat et étaler. Refermer la ficelle.

Cannelé

4 portions

Appareil :

- 500 ml de lait
- 210 g de sucre
- 115 g de farine faible (Monarch)
- 50 ml d'œufs liquides
- 40 ml de jaunes d'œufs
- 15 g de farine forte
- 3 ml de gel rhum
- 1 ml de vanille Bourbon

Préparer l'appareil une journée à l'avance et garder réfrigéré. Faire bouillir le lait, le sucre, le gel rhum et la vanille. Laisser refroidir. Mélanger les œufs à la farine. Incorporer le lait parfumé et battre au mixeur. Passer le mélange au chinois fin. Graisser les moules. Cuire de 40 à 50 minutes, à 160 °C (320 °F).

Gâteau basque aux cerises noires

8 portions

Pâte :

- 300 g de farine
- 200 g de sucre en poudre
- 200 g de beurre ramolli
- 2 jaunes d'œufs
- 1 œuf entier
- 1 pincée de sel
- le zeste de 1 citron

Mettre dans un bol la farine en fontaine ; y déposer au centre les autres ingrédients. Mélanger à la main ou à l'aide d'une cuillère de bois. Travailler jusqu'à l'obtention d'une pâte lisse et ferme. Laisser reposer la pâte une heure. Pendant ce temps, préparer la crème pâtissière.

Étendre au rouleau les ⅔ de la pâte pour couvrir le fond d'un moule en laissant dépasser la pâte des parois. Verser la crème pâtissière. Étendre le reste de la pâte et la déposer sur le dessus du moule à la manière d'un couvercle. Faire cuire à 180–200 °C (400 °F) pendant 30 minutes pour obtenir une belle pâte dorée.

Crème pâtissière :

- ¼ de litre de lait
- 2 jaunes d'œufs
- 60 g de sucre
- 25 g de farine
- 100 g de confiture de cerises noires

Porter le lait à ébullition. Mélanger à l'aide d'un fouet le sucre, la farine et les jaunes d'œufs. Verser le lait bouillant sur le mélange sucre-farine-œufs. Chauffer à feu doux jusqu'à la consistance désirée. Laisser refroidir.

Une fois la crème pâtissière refroidie, ajouter la confiture de cerises noires.

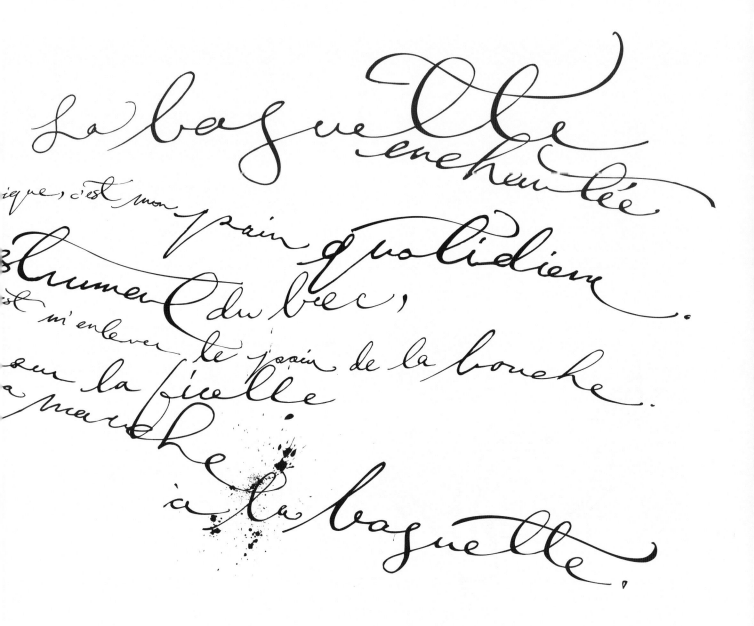

La baguette enchantée

...ique, c'est mon pain quotidien.

...st m'enlever le pain de la bouche.

...er la ficelle

...marche à la baguette.

Charles

Enfant, Charles avait une complicité particulière avec son grand-père, ce dernier ayant sans doute découvert le plaisir de jouer et de prendre son temps – un luxe qu'il n'avait pu se permettre quand ses propres enfants étaient en bas âge. Charles avait donc un compagnon de jeu, et il profitait de sa présence lorsqu'ils se promenaient en chariot, poussaient leurs escapades dans la boulangerie ou faisaient du chahut. Aujourd'hui, il s'en rappelle avec émotion. Il lui manque souvent, son papy!

Il se souvient d'un grand-père ordonné, droit et diplomate qui, par amour pour ses petits-enfants, oubliait parfois les règles jusqu'à en stupéfier son épouse – comme le jour où celle-ci l'a trouvé posté à une extrémité du tuyau de l'aspirateur en train de réinventer le téléphone. À l'autre bout, le petit Charles souriait, fasciné et admiratif. Il était déjà malade à cette époque, son grand-père, confie Charles, mais il ne laissait jamais paaser un bonheur qui se présentait, sachant mettre de côté la réalité qui était sienne.

Les années ont passé. Charles est allé étudier pendant trois ans à Woolfville, en Nouvelle-Écosse, après s'être interrogé sur une éventuelle carrière sportive. Sa décision de partir n'était pas simple car elle lui imposait l'apprentissage d'une langue qu'il ne maîtrisait pas. L'expérience se révéla toutefois concluante puisqu'il en revint avec son baccalauréat en administration des affaires (BBA) en poche.

Au Pain Doré, Charles est actuellement chargé de projet et se spécialise dans les ventes à l'extérieur du Québec, avec les trois distributeurs de la boulangerie à Las Vegas, à Boston et en Floride. Il développe aussi les liens avec les fournisseurs. Avec son œil sur le monde, il s'applique à partager avec chacun cette ouverture sur d'autres horizons.

Comme tous les Etienne, Charles connaît bien les murs de la boulangerie pour y avoir accompli une variété de tâches. Il se doutait bien qu'il y ferait plusieurs apprentissages… Comme plusieurs autres l'ont fait avant lui, il est entré par la petite porte en aidant les livreurs pendant la période des fêtes. Il est ensuite devenu lui-même livreur, fier de conduire l'un des camions de la boulangerie. Puis, il passe à autre chose en apprenant auprès de Fabien Renaud et le métier de boulanger. En mettant ainsi la main à la pâte, il apprendra beaucoup, maîtrisant peu à peu les produits, leur conception, leur fabrication. Avec le temps, il s'oriente vers les postes administratifs en commençant par des remplacements estivaux. Il devient aussi acheteur.

Comme les finances et la comptabilité constituaient ses points forts lorsqu'il était à l'université, il a reçu un mandat de deux ans du Pain Doré pour travailler dans le secteur des ventes. Mais suivant les conseils de Jean-Marc, il s'est d'abord éloigné quelque temps au Maroc pour réfléchir à sa décision d'intégrer l'entreprise familiale.

Charles ouvre grand les portes à la nouveauté et nous réserve quelques surprises. Son but est sans doute d'instaurer aux ventes la même chimie que celle dont Jean-Marc a tant parlé et qu'il a mise en place à la production. Il est motivé par la même passion que celle qui habite les Etienne. Et il sourit aux perspectives qui lui sont aujourd'hui offertes.

Guillaume

Fils de Danielle, la plus jeune des sœurs Etienne, Guillaume travaille au Petit Breton, une boulangerie artisanale créée par Guy Bonraisin, lui-même formé par Jean-Marc.

Guillaume a 15 ans quand il rentre aux boulangeries Au Pain Doré pour y apprendre les secrets du métier. Il commence par les périodes de vacances, mais très vite il y prend goût. Au fur et à mesure de son apprentissage, il découvre la pâtisserie qui deviendra son cheval de bataille, sa passion et un passeport pour la vie. Une fois ses études à l'Institut de tourisme et d'hôtellerie du Québec terminées, il devient pâtissier.

Guillaume n'est pas fait de l'étoffe d'un sédentaire. Il est curieux et a des rêves qu'il réalise. En 1998, il se sent pousser des ailes et veut découvrir le monde, élargir ses horizons, vivre pleinement. Jean-Marc, oncle mais aussi parrain et complice de ses projets ambitieux, lui glisse à l'oreille que le Yukon est une terre à découvrir.

Il n'en faut pas plus pour que Guillaume parte et se débrouille. Il trouve du travail dans un café comme pâtissier grâce à un gâteau au chocolat-framboises de ses secrets, y reste six mois, continue son périple à travers les États-Unis jusqu'au Mexique. Malheureusement, malgré ses 20 ans, la vie se charge de lui rappeler que rien n'est si simple. On lui découvre un cancer. Il rentre d'urgence à Montréal pour se battre et gagner. Il repart au Yukon pour 18 mois, séduit de nouveau avec ses pâtisseries, pousse sa soif d'apprendre jusqu'à se consacrer au marché de la morille cuite, l'or local à l'époque, qui l'oblige à vivre tel un homme des bois. Rien ne l'arrête, tant qu'il peut sourire à la vie.

Il revient à Montréal, fait un court séjour à la pâtisserie de Gascogne jusqu'au jour où Guy Bonraisin, un homme généreux de sa connaissance, communique avec lui. En deux ans, celui-ci lui apprendra à la perfection le métier de boulanger artisanal. À ses côtés, Guillaume découvre tout l'aspect vivant de la boulangerie et des pâtes, ce qui ne peut qu'être bénéfique pour ce pâtissier dans l'âme friand de toute nouvelle occasion de s'améliorer.

Mais ce n'est pas tout ! Après deux années passées au Petit Breton, Guillaume veut donner un sens à sa vie. Lui qui se questionne sans cesse décide de faire un pèlerinage à Compostelle où il ira chercher bon nombre de réponses en parcourant 1800 kilomètres à pied. Il revient en novembre 2003, effectue un troisième séjour au Yukon, prend la direction de l'Estrie pour travailler chez un chocolatier de Knowlton, s'envole pour Israël où il vit dans un kibboutz et travaille dans un restaurant de poisson, visite l'Égypte et la Jordanie. Jeune homme sans frontières, ouvert aux autres cultures et sensible à ce qui l'entoure, Guillaume croque dans la vie.

Passionné du métier, Guillaume s'extasie sans fausse modestie devant ses pains. Il n'a certes pas fini de sillonner le monde, mais jamais il n'oubliera cette phrase que Jean-Marc lui a un jour glissée à l'oreille : « Je crois en toi et j'ai besoin de toi ». Il est de ces petits messages qui vous ouvrent les yeux et vous donnent des ailes. Des petits riens qui font la différence quand on arrive à les entendre. C'est avec toute son expérience et toutes ses réflexions que Guillaume fabrique son pain, prolongeant le métier que ses aînés lui ont fait aimer tout en regrettant de ne pas avoir « appris le pain avec papy », lui qui n'est jamais très loin des mains et du cœur de la famille.

Jean-Nicholas

Jean-Nicholas est le fils de Joëlle, l'aînée des enfants d'Odette et de Roland. Comme les autres, il est tombé dedans quand il était petit. À 14 ans, il était déjà plongeur à la boulangerie, et comme chaque membre de la famille, il touchera un peu à tout. Au cours de ses années passées au cégep, il réfléchit à la direction qu'il veut donner à sa vie tout en travaillant de nuit à la boulangerie. Un jour, prolongeant ainsi le lien familial, il choisit de ne plus avoir qu'une seule destination, celle de la boulangerie. Il apprendra et apprendra encore – les pâtes, les divers procédés de fabrication, les secrets –, et ne tarira pas d'idées et d'innovations pour ce qu'il chérit le plus : la viennoiserie. Convaincu de son potentiel, il va sans relâche de l'avant et finit par devenir superviseur du secteur de la viennoiserie, avec une équipe de 11 personnes sous sa direction.

La discrétion de Jean-Nicholas n'a d'égale que la passion qu'il voue à son métier. Cet amoureux des chocolatines a dans les yeux une immense admiration pour sa grand-mère qu'il voit comme un modèle de vie, un exemple à suivre. Comme Julie le faisait quand elle était enfant, il aime l'écouter raconter son histoire, elle qui vibre à la seule pensée de son mari. En fait, il aime tant sa complicité avec Odette que quelqu'un le suit désormais quand il va la rejoindre : c'est sa fillette qui, assise sur les genoux de son papa, écoute, yeux et oreilles grands ouverts, le récit de son arrière-grand-mère. Gageons qu'elle s'en souviendra longtemps, et que l'odeur du pain frais est déjà pour elle un appel que seuls les descendants de Roland Etienne savent reconnaître… Cet appel qui n'a pas de limites et qui est synonyme de passion, d'amour, de rêve.

Les desserts

Croustillant de pain de sarrazin bio au miel d'Anicet et aux figues

Philippe Mollé

4 portions

- 4 belles tranches de pain de sarrazin bio ou de pain de céréales★
- 2 jaunes d'œufs
- 30 ml de miel de forêt d'Anicet
- 60 ml de lait 2 %
- 15 ml d'eau de fleur d'oranger
- 30 ml de beurre non salé
- le zeste d'une orange

Sauce :
- 60 ml de miel d'Anicet au choix
- 125 ml de jus d'orange
- 60 ml de crème 35 %
- 4 figues fraîches en morceaux

Laisser ou retirer la croûte du pain, au choix. Mélanger les 30 ml de miel avec les jaunes d'œufs, l'eau de fleur d'oranger, le zeste et le lait. Plonger le pain dans ce mélange durant 1 minute. Faire chauffer le beurre dans une poêle et y faire rôtir les tranches de pain de chaque côté. Réserver au chaud.

Pour préparer la sauce, faire caraméliser les 60 ml de miel dans la poêle de la cuisson, puis ajouter la crème, le jus d'orange et les morceaux de figues. Laisser réduire jusqu'à consistance.

Disposer les tranches de pain dans les assiettes et garnir de sauce aux figues.

La crème brûlée d'Au Pain Doré

4 portions

Crème brûlée :
- 325 ml de crème 35 %
- 100 ml de lait
- 6 jaunes d'œufs
- 65 g de sucre

Mélange de sucre et cassonade :
- 10 g de cassonade
- 10 g de sucre blanc

Préchauffer le four à 105 °C (220 °F). Faire bouillir le lait et la moitié du sucre. Blanchir les jaunes d'œufs avec le sucre. Verser le lait chaud sur les jaunes d'œufs. Incorporer la crème froide au lait. Passer le mélange au chinois fin et le répartir dans des ramequins. Déposer les ramequins dans une tôle de cuisson et y verser de l'eau. Cuire de 2 h à 2 h 30.

Au sortir du four, laisser refroidir. Au moment de servir, étendre sur le dessus le mélange de sucre blanc et de cassonade. Caraméliser le sucre au chalumeau ou sous le gril.

Pudding aux raisins, bananes et cannelle

6 portions

- 300 g de pain blanc ou brun rassis★
- 50 g de raisins secs de Smyrne
- 50 g de raisins secs de Malaga
- 50 cl de lait
- 100 g de beurre
- 50 g de sucre
- 3 œufs
- 2 bananes
- 350 g de confiture de fraises
  (Au Pain Doré Gourmet)★
- 30 g de chapelure
- un peu de cannelle en poudre
- 1 pincée de sel

Mettre tous les raisins secs dans un saladier, recouvrir d'eau tiède, laisser tremper à la température ambiante pendant 30 minutes, puis égoutter. Écroûter le pain, couper la mie en morceaux, la passer au mixeur.

Dans une casserole, verser le lait, 80 g de beurre, 50 g de sucre semoule. Faire chauffer à feu doux sans laisser frémir. Verser sur la mie de pain et bien mélanger avec une spatule. Incorporer successivement la pincée de sel, les œufs, la confiture, la cannelle et les raisins.

Beurrer un moule à gâteau, le chemiser avec la chapelure (il doit y avoir de la chapelure sur le fond et les parois). Verser la moitié du mélange dans le moule, y déposer les bananes coupées en deux sur la longueur, verser le reste du mélange, et faire cuire au four à 200 °C (350 °F) pendant 1 heure. Laisser refroidir le pudding 5 minutes avant de le démouler.

Ce pudding peut se servir chaud ou froid accompagné d'une délicieuse crème anglaise ou d'un coulis de fruits rouges.

Mini-pithiviers

4 pithiviers de 10 cm

- 400 g de pâte feuilletée Au Pain Doré★
- 200 g de crème d'amande

Crème d'amande :
- 150 g de beurre
- 150 g de poudre d'amande
- 130 g de sucre semoule
- 3 œufs entiers
- 80 g de farine tamisée
- 30 ml de rhum (facultatif)

Préparer la crème d'amande et réserver au réfrigérateur (elle se conserve une semaine au frigo ; avant de l'utiliser, la laisser 30 minutes à la température ambiante). Préchauffer le four à 225 °C (400 °F).

Étaler la pâte sur une épaisseur de 2 mm. Avec un emporte-pièce de 10 cm, détailler la pâte en 8 abaisses. Verser la crème d'amande au centre de 4 abaisses puis recouvrir les fonds avec les 4 abaisses restantes. Marquer les dessus avec la pointe d'un couteau en partant du centre. Faire cuire 20 minutes.

Coulis de pistache :
- 300 ml de crème anglaise
- 80 g de pistaches non salées

Mélanger la crème et les pistaches dans un mixeur pendant 3 minutes. Passer le mélange au chinois. Servir.

Le premier dimanche de janvier commence la période des Rois. Chaque famille se rassemble autour d'une galette contenant une fève. La personne qui reçoit la fève dans sa pointe de galette est couronnée reine ou roi.

Tarte aux fruits des champs

2 tartes de 20 cm

- 300 g de pâte à tarte Au Pain Doré★
- 600 ml de crème à flan

Petits fruits des champs frais ou congelés :
- bleuets
- framboises
- canneberges

Appareil à flan :
- 1 tasse de lait (250 ml)
- 1 tasse de crème 35 % (250 ml)
- 3 œufs entiers
- 50 g de sucre
- 40 g de fécule de maïs

Préparer l'appareil à flan et réserver. Préchauffer le four à 180 °C (315 °F).

Abaisser la pâte sur une épaisseur de ½ cm, la mettre dans une assiette à tarte. Garnir le fond de fruits des champs. Verser l'appareil à flan. Faire cuire 40 minutes.

Tarte aux poires et au chocolat

2 tartes de 20 cm

- 300 g de pâte à tarte Au Pain Doré★
- 900 g de crème d'amande au chocolat
- 6 poires fraîches de taille moyenne
  (ou en conserve)

Crème d'amande au chocolat :
- 150 g de beurre
- 150 g de poudre d'amande
- 130 g de sucre
- 3 œufs entiers

À tamiser ensemble :
- 15 g de cacao
- 65 g de farine

Préparer la crème d'amande au chocolat et réserver. Préchauffer le four à 180 °C (315 °F).

Abaisser la pâte sur une épaisseur de ½ cm, la mettre dans une assiette à tarte. Verser la crème d'amande au chocolat. Peler, enlever le cœur et couper les poires en deux. Disposer les poires sur la crème d'amande. Cuire 40 minutes.

Suggestion :
Pour donner de la brillance à la tarte, napper de gelée d'abricots avant de mettre au four.

Tarte au sirop d'érable

2 tartes de 20 cm

- 300 g de pâte à tarte Au Pain Doré★
- 800 ml d'appareil au sirop d'érable

Appareil au sirop d'érable :
- 250 ml de crème 35 %
- 500 ml de sirop d'érable
- 2 œufs entiers
- 50 g de fécule de maïs

Préparer l'appareil au sirop d'érable et réserver.
Préchauffer le four à 180 °C (315 °F).

Abaisser la pâte sur une épaisseur de ½ cm, la
mettre dans une assiette à tarte. Verser l'appareil
au sirop d'érable. Faire cuire 40 minutes à
180 °C (315 °F).

Gautier Verneuil

Précieux collaborateur

Originaire de Cognac, en Charente, Gautier Verneuil est né dans une famille comptant plusieurs générations de viticulteurs. Très jeune, il se sent attiré par la cuisine et par l'atmosphère festive et gourmande des restaurants du sud-ouest de la France, une région réputée pour sa gastronomie. Il amorce son apprentissage dans le Gers, puis continue de se perfectionner à Bordeaux et à Paris dans différents établissements étoilés du Guide Michelin. Au contact de grands chefs, il développe sa passion du métier et continue de se perfectionner sans relâche.

Au milieu des années 1990, après un passage à Bayonne et à La Rochelle, il décide avec sa famille de faire le grand saut jusqu'au Québec. Une fois établi dans la Belle Province, il continue à exercer son métier avec toujours autant de passion et de rigueur.

Gautier collabore avec la boulangerie Au Pain Doré depuis bon nombre d'années déjà. Sa collaboration est une source de plaisirs partagés et une belle aventure dans l'univers du pain. Et, surtout, elle est à l'origine de nombreuses excellentes recettes !

Mot du président

Des immenses mercis à ceux et celles qui ont participé avec nous au succès de notre entreprise. Vous êtes nombreux, mais soyez chacun assuré que ces quelques lignes sont l'expression de ma profonde reconnaissance et de mon admiration pour votre travail. Je vous connais et vous respecte tous, et je sais à quel point vous faites partie de notre réussite.

Il est certes loin le temps où mes parents traversaient l'Atlantique pour fonder la boulangerie Au Pain Doré. Cependant, ce sont les mêmes gestes que nous répétons avec la même passion, le même amour du pain et le seul souhait de le partager. Je suis heureux aujourd'hui de savoir que les pains de la rue Marquette se sont multipliés et de les voir se multiplier encore. Je ne me lasse pas des parfums de notre boulangerie, je les aime. Je m'étonne sans fin de nos nouvelles créations en matière de pain et je garde au fond de moi, toujours, le souvenir de mon père qui serait fier, je crois, de voir ce qu'est devenu son Pain Doré.

Le pain fait partie de ma famille, et ma famille c'est ma raison de vivre. Vous en faites partie.

Jean-Marc Etienne

Les employés

Remerciements

Je caresse ce projet depuis déjà plusieurs années — on a tous une histoire à raconter —, et je me devais de le faire. Je voudrais remercier toutes les personnes qui m'ont aidée, soutenue et encouragée à le mener à terme.

Je tiens à remercier tout spécialement ma famille de me faire confiance. Vous êtes des modèles, des sources d'inspiration pour moi. Vous m'avez transmis beaucoup, mais il est une chose que je veux en particulier nommer: l'amour de l'art de la table et du savoir-faire.

Josée Doucet, ma Jojo adorée, tu me manques énormément! Merci pour tout, tu fais partie de mes plus beaux souvenirs et surtout des plus drôles!

Je veux aussi remercier les employés de la Boulangerie Au Pain Doré.

Mes collègues de travail: Christine, Geneviève, Karine, Mélanie et Marie-Pierre, qui participent à cette vie enflammée avec professionnalisme, et qui m'accompagnent dans ma folie et ma passion de tous les jours.

Nos précieux collaborateurs: Patrick Leimgruber pour ton dévouement exceptionnel, ce fût un véritable plaisir de travailler avec toi; Andrée Lauzon pour ta grande patience; Caroline Gaudette; et les éditions Les 400 coups.

Patrice Resther pour tes commentaires judicieux.

Je voudrais encore remercier Patricia Brochu, photographe pour les portraits, et mes complices pour les autres photos!

Un grand merci à Gautier Verneuil pour son importante collaboration à cet ouvrage, ainsi qu'à: Philippe Mollé, Thierry Daraize, Daniel Alonzo, Joël Chapoulie, Bernard Ragnaud, Roméo Ponpeo, Laurent Godbout, Martine et Patrick Satre du Temps des cerises, Robert Dubé, Peter Castiel, Sabrina Barilà, Guillaume Roy, Geneviève Dostie, Dominic Dutil, Karine Duchesneau.

À mon Ange, merci d'être toujours là pour moi! Merci à la vie, la gratitude est la richesse de l'âme! Toda! Toda! Toda!

Julie Etienne

Le vrai pain français

Boulangerie artisanale

La gourmandise

La lune est belle, dans le vent
son croissant, délicieux
Ma brioche est belle et je savoure le jour
envole

Nous remercions le Conseil des Arts du Canada de l'aide accordée à notre programme de publication et la SODEC pour son appui financier en vertu du Programme d'aide aux entreprises du livre et de l'édition spécialisée.

Nous reconnaissons l'aide financière du gouvernement du Canada par l'entremise du Programme d'aide au développement de l'industrie de l'édition (PADIÉ) pour nos activités d'édition.

Gouvernement du Québec – Programme de crédits d'impôt pour l'édition de livres – Gestion SODEC

Boulangerie Au Pain Doré
50 ans de recettes qui se racontent
a été publié sous la direction de Patrick Leimgruber.

Illustrations : Bruce Roberts
Photographies (portraits) : Patricia Brochu
Design graphique : Andrée Lauzon
Révision : Sylvie Roche et Louise Chabalier
Correction : Sylvie Roche

Diffusion au Canada
Diffusion Dimedia inc.
539, boulevard Lebeau
Saint-Laurent (Québec)
H4N 1S2

Diffusion en Europe
Le Seuil

© 2006, Boulangerie Au Pain Doré et les éditions Les 400 coups, Montréal (Québec) Canada

Dépôt légal – 4e trimestre 2006
Bibliothèque et Archives nationales du Québec
Bibliothèque et Archives Canada

ISBN-10 : 2-89540-316-3
ISBN-13 : 978-2-89540-316-6

Catalogage avant publication de Bibliothèque et Archives Canada

Vedette principale au titre :
Boulangerie Au Pain Doré : 50 ans de recettes qui se racontent

Comprend un index.

ISBN-10 : 2-89540-316-3
ISBN-13 : 978-2-89540-316-6

1. Pain. 2. Cuisine (Pain). 3. Boulangerie Au Pain Doré   Histoire. I. Leimgruber, Patrick, 1965- .

TX769.B68 2006   641.8'15   C2006-941779-2